AVANT-PROPOS

QUAND J'AI COMMENCÉ MA CARRIÈRE DE FORESTIER, j'en savais à peu près autant sur la vie secrète des arbres qu'un boucher sur la vie affective des animaux. La sylviculture moderne produit du bois, en d'autres mots elle abat des arbres puis replante des jeunes plants. La lecture des revues spécialisées permet de comprendre que la bonne santé d'une forêt n'a d'intérêt que dans la mesure où elle participe d'une gestion optimale. Cette perception suffit également au quotidien du forestier qui finit par avoir une vision déformée des choses. Une large part de mon travail consistant à estimer les qualités intrinsèques ou la valeur marchande de centaines d'épicéas, de hêtres, de chênes ou de pins, je ne voyais les arbres que sous cet angle.

Il y a une vingtaine d'années, j'ai commencé à organiser des stages de survie en forêt et des circuits «cabanes forestières» pour le public. Vinrent ensuite la création d'un cimetière forestier naturel* et la mise en réserve de boisements où

---

* Forêt réservée à l'inhumation d'urnes funéraires ou de cendres. Voir également page 105.

Les notes indiquées par un astérisque correspondent aux notes de la traductrice.

9

la nature allait pouvoir reprendre ses droits. Les nombreux échanges que j'ai pu avoir avec les visiteurs ont corrigé mon regard sur la forêt. Les arbres mal conformés ou noueux, que j'avais l'habitude de déclasser, suscitaient l'enthousiasme des promeneurs. À leur contact, j'ai appris à voir autre chose que les beaux troncs bien droits et à apprécier les racines aux formes étranges, les formations insolites, les coussins de mousse sur une écorce. L'attrait pour la nature, qui m'anime depuis mon enfance citadine, se raviva. Je découvris soudain d'innombrables phénomènes extraordinaires dont l'explication m'échappait. À la même époque, l'université d'Aix-la-Chapelle entama un programme de recherches dans mon district*. De nombreuses questions trouvèrent alors une réponse, et au moins autant de nouvelles surgirent. La vie de forestier redevint passionnante ; chaque journée en forêt était l'occasion de découvertes. L'exploitation forestière dut adapter ses méthodes. Quand on sait qu'un arbre est sensible à la douleur et a une mémoire, que des parents-arbres vivent avec leurs enfants, on ne peut plus les abattre sans réfléchir ni ravager leur environnement en lançant des bulldozers à l'assaut des sous-bois. Cela fait déjà vingt ans que ces engins sont bannis de mon district. Si quelques troncs doivent néanmoins être récoltés, les ouvriers forestiers procèdent au débardage en douceur, avec des chevaux de trait. Une forêt en bonne santé, voire, osons le dire, une forêt heureuse est nettement plus productive, donc plus rentable. L'argument a convaincu mon employeur, la commune de Hümmel, au point que ce minuscule village de l'Eifel** entend bien ne

---

* Division territoriale d'une forêt placée sous la responsabilité d'un technicien supérieur forestier.
** Région de collines du massif schisteux rhénan, située au sud de Cologne entre le Rhin à l'est, la Moselle au sud et l'Ardenne belge à l'ouest.

jamais revenir à d'autres méthodes d'exploitation. Les arbres qui ne sont pas dérangés livrent toujours plus de secrets, en particulier ceux qui vivent dans les zones protégées où ils sont à l'abri de toute intervention humaine. Je ne cesserai jamais d'apprendre à leur contact. Pourtant, jamais je n'aurais rêvé découvrir autant de choses sous les couverts forestiers.

Suivez-moi, partageons ensemble le bonheur que les arbres peuvent nous donner. Qui sait, lors d'une prochaine promenade en forêt, peut-être découvrirez-vous à votre tour quelque petit ou grand miracle.

Amitiés

Il y a longtemps de cela, alors que je parcourais l'une des anciennes réserves de hêtres de mon district, de curieuses pierres moussues ont attiré mon attention. J'étais passé maintes fois à côté sans les remarquer, jusqu'à ce jour où je me suis arrêté et accroupi. Leur forme, en léger arc de cercle, était peu ordinaire. En soulevant un peu la mousse, je mis au jour de l'écorce. Ce que je croyais être des pierres était en fait du vieux bois. Le bois de hêtre pourrissant habituellement en l'espace de quelques années sur un sol humide, la dureté du morceau que j'examinais m'étonna. Surtout, je ne pouvais pas le soulever, il était solidement ancré dans le sol. Je grattai un petit morceau de cette écorce avec un canif et découvris une couche verte. Verte? Cette couleur n'apparaît que lorsqu'il y a présence de chlorophylle, soit dans les feuilles fraîches, soit stockée sous forme de réserve dans les troncs des arbres vivants. Une seule explication était possible: ce morceau de bois n'était pas mort! À y regarder de plus près, les autres « pierres » n'étaient pas disposées au hasard, mais formaient un cercle de 1,50 mètre de diamètre. Je me trouvais en présence des très anciens vestiges d'une immense souche d'arbre. Il ne subsistait que quelques fragments de ce qui avait jadis été l'écorce tandis que l'intérieur s'était depuis longtemps décomposé et transformé en humus, deux indices qui permettaient de conclure que l'arbre avait dû être coupé entre 400 et 500 ans auparavant. Mais comment était-il possible que des vestiges survivent aussi longtemps ? Les cellules se nourrissent de sucres, elles doivent respirer, se développer, ne serait-ce qu'un minimum. Or, sans feuilles, donc sans photosynthèse, c'est impossible. Aucun des êtres vivants de notre planète ne résiste à une privation de nourriture de plusieurs centaines d'années, et cela vaut aussi pour les vestiges d'arbres, du moins pour les souches qui ne peuvent compter que sur elles-mêmes. À l'évidence, ce n'était pas le cas de celle-ci.

Elle bénéficiait de l'aide que les arbres voisins lui apportaient par l'intermédiaire des racines. La transmission des substances nutritives s'effectue soit de façon diffuse par le réseau de champignons qui enveloppe les pointes des racines et contribue ainsi aux échanges, soit par un lien racinaire direct. Je ne pouvais savoir quelle forme de transmission était ici à l'œuvre, car je ne voulais pas causer de dommages à cette vénérable souche en fouillant le sol. Mais une chose était sûre : les hêtres environnants lui diffusaient une solution de sucre pour la maintenir en vie.

On peut observer cette association des arbres par leurs racines au bord des chemins, là où la pluie a lessivé la terre des talus et mis au jour les systèmes racinaires. Des scientifiques ont constaté, dans le massif forestier du Harz*, en Allemagne, que la plupart des individus d'une même espèce

---

* Massif montagneux du nord de l'Allemagne s'étendant sur les trois Länder de Basse-Saxe, Saxe-Anhalt et Thuringe.

et d'un même peuplement sont reliés entre eux par un véritable réseau. L'échange de substances nutritives et l'intervention des arbres voisins en cas de besoin seraient la norme. Il apparaît ainsi que les forêts sont des superorganismes, des organisations structurées comme le sont par exemple les fourmilières.

Il est légitime de se demander si les racines des arbres ne se développent pas au hasard dans le sol et ne s'associent pas simplement avec les congénères rencontrés sur leur chemin. L'échange de substances nutritives ne serait pas intentionnel et la structure en communauté sociale serait un leurre, puisque seules des transmissions fortuites seraient à l'œuvre. La belle image d'une entraide active céderait la place à la loi du hasard, qui serait toutefois également d'intérêt pour l'écosystème forestier.

Le fonctionnement de la nature n'est pas aussi simple : les végétaux, par conséquent les arbres, sont parfaitement capables de distinguer leurs racines de celles d'espèces différentes et même de celles d'autres individus de la même espèce[1].

Mais pourquoi les arbres ont-ils un comportement social, pourquoi partagent-ils leur nourriture avec des congénères et entretiennent-ils ainsi leurs concurrents ? Pour les mêmes raisons que dans les sociétés humaines : à plusieurs, la vie est plus facile. Un arbre n'est pas une forêt, il ne peut à lui seul créer des conditions climatiques équilibrées, il est livré sans défense au vent et à la pluie. À plusieurs, en revanche, les arbres forment un écosystème qui modère les températures extrêmes, froides ou chaudes, emmagasine de grandes quantités d'eau et augmente l'humidité atmosphérique. Dans un tel environnement, les arbres peuvent vivre en sécurité et connaître une grande longévité. Pour maintenir cet idéal, la communauté doit à tout prix perdurer. Si chaque individu ne s'occupait que de lui-même, nombre d'entre eux n'atteindraient jamais un grand âge. Les morts successives provoqueraient de grandes trouées dans la canopée* par lesquelles les tempêtes pourraient s'engouffrer et endommager la forêt. La chaleur estivale parviendrait au sol et le dessécherait. Tous les individus en souffriraient.

Chaque arbre est donc utile à la communauté et mérite d'être maintenu en vie aussi longtemps que possible. Même les individus malades sont soutenus et approvisionnés en éléments nutritifs jusqu'à ce qu'ils aillent mieux. Une prochaine fois, peut-être les rôles s'inverseront-ils et ce sera l'arbre-soutien qui à son tour aura besoin d'aide. Les gros hêtres à l'écorce grise qui se protègent mutuellement me font penser aux éléphants qui vivent en troupeaux. Eux aussi défendent chacun des membres du groupe, eux aussi aident les malades et les moins vaillants à reprendre de la vigueur et ne laissent qu'à regret leurs morts derrière eux.

Chaque arbre représente une part de la communauté, mais tous ne sont pas logés à la même enseigne. La plupart des souches pourrissent et se transforment en humus en quelques décennies (un laps de temps très court pour un arbre). Les individus qui survivent plusieurs siècles, comme ces « pierres moussues », ne sont que peu nombreux. Pourquoi une telle différence ? Y aurait-il chez les arbres une société à deux vitesses ? Le terme « vitesse » est impropre, mais l'idée est juste. En réalité, c'est du degré de lien, voire d'empathie que dépend la serviabilité des collègues. Levez les yeux vers les houppiers**, au sommet du tronc, et vous l'observerez par vous-même. Un arbre ordinaire s'étale jusqu'à ce que sa

* Étage supérieur des houppiers des arbres d'une forêt formant un toit en contact direct avec la lumière solaire.
** Ensemble des branches et rameaux situé au-dessus du tronc.

ramure rencontre l'extrémité des branches d'un voisin de même envergure. Il ne peut pas aller plus loin car l'espace aérien, ou plutôt l'espace lumineux, est déjà occupé. Mais il met une belle énergie à renforcer ses branches latérales, comme pour s'armer contre son voisin. En comparaison, deux véritables amis veillent d'emblée à ne pas déployer de trop grosses branches en direction de l'autre. Pour ne pas empiéter sur le domaine du partenaire, chacun développe son houppier exclusivement vers l'extérieur, vers des « non-amis ». Ces couples sont liés si intimement par leurs racines qu'ils meurent parfois en même temps.

Les belles amitiés qui vont jusqu'à alimenter une souche en substances nutritives s'observent uniquement dans les forêts naturelles. Il est possible que toutes les espèces pratiquent le même altruisme, pas seulement les hêtres. Pour ma part, j'ai également rencontré de très anciennes souches encore vivantes, de chênes, de sapins, d'épicéas et de douglas. Les forêts plantées, comme le sont la plupart des forêts de conifères du centre de l'Europe, fonctionnent plutôt sur le schéma des enfants des rues dont nous parlerons plus loin. La plantation endommageant durablement les racines, elles peinent à se constituer en réseau. Les arbres de ces forêts sont des solitaires dont les conditions de vie sont particulièrement difficiles. Il est vrai qu'ils ne sont pas destinés à atteindre un âge canonique puisque, selon les espèces, leurs troncs sont déjà considérés comme matures et bons à être récoltés au bout d'une centaine d'années.

Le langage des arbres

D'APRÈS LE DICTIONNAIRE, LE LANGAGE EST LA CAPACITÉ des hommes à s'exprimer et à communiquer entre eux. Nous serions donc les seuls aptes à parler, puisque la notion ainsi définie se limite à notre espèce. Est-ce bien certain? Pourquoi les arbres ne s'exprimeraient-ils pas? Une chose est sûre, ils ne parlent pas et n'émettent aucun son. Les branches qui craquent quand il y a du vent, le bruissement du feuillage sont des phénomènes passifs indépendants de leur volonté. Les arbres disposent cependant d'un moyen d'attirer l'attention : l'émission d'odeurs. Les odeurs seraient un moyen de communication? Mais oui, et même un moyen auquel nous reconnaissons une certaine efficacité, sinon pourquoi utiliserions-nous du parfum et des déodorants? Notre seule odeur corporelle suffit pourtant à interpeller le conscient et le subconscient de nos congénères. Il existe des personnes que nous ne pouvons pas sentir, d'autres au contraire dont l'odeur nous attire irrésistiblement. D'après les scientifiques, les phéromones présentes dans la sueur joueraient un rôle déterminant dans le choix du partenaire avec lequel nous souhaitons nous reproduire pour assurer notre descendance. Nous possédons un langage olfactif secret, ce dont les arbres peuvent aussi se prévaloir. Dans les années 1970, des chercheurs ont mis en évidence l'étonnant comportement d'une espèce d'acacia de la savane africaine dont les feuilles sont broutées par les girafes. Pour se débarrasser de ces prédateurs très contrariants, les acacias augmentent en quelques minutes la teneur en substances toxiques de leurs feuilles. Dès qu'elles s'en rendent compte, les girafes se déplacent vers les acacias voisins. Voisins ? Non, pas tout à fait, elles ignorent tous ceux qui se trouvent dans le périmètre immédiat du premier arbre et ne recommencent à brouter qu'une centaine de mètres plus loin. La raison en est surprenante : les acacias agressés émettent un gaz avertisseur (dans ce cas de l'éthylène) qui informe leurs congénères de l'imminence d'un danger. Aussitôt, les individus concernés réagissent en augmentant à leur tour la teneur en substances toxiques de leurs feuilles. Les girafes, qui n'ignorent rien du manège, se déplacent jusqu'aux arbres non avertis. Ou bien elles remontent le vent. Les messages olfactifs étant transportés d'arbre en arbre par l'air, si elles se déplacent dans le sens contraire au vent, le premier arbre voisin n'aura pas été informé de leur présence, et elles n'auront pas à interrompre leur repas. Nos forêts tempérées sont le théâtre de phénomènes similaires. Les hêtres, les chênes, les sapins réagissent eux aussi dès qu'un intrus les agresse. Quand une chenille plante ses mandibules dans une feuille, le tissu végétal se modifie aussitôt autour de la morsure. Au surplus, il envoie des signaux électriques, exactement comme cela se produit dans le corps humain en cas de blessure. L'impulsion ne se propage pas en millisecondes, comme chez nous, mais à la vitesse d'un centimètre par minute. Il faut compter une heure de plus pour que les anticorps qui vont gâcher la suite du repas des parasites soient synthétisés[2]. Les arbres ne sont pas des rapides : et danger ou pas, c'est là leur vitesse maximale. En dépit de cette lenteur, aucune partie de l'arbre ne fonctionne isolément. Un agresseur met les racines en difficulté ? L'information gagne l'ensemble de l'arbre et déclenche si nécessaire l'émission de substances odorantes par les feuilles. Pas de n'importe quelles substances : l'arbre les fabrique sur mesure en fonction de l'objectif à atteindre. Cette aptitude à réagir de façon ciblée l'aide à juguler l'attaque en quelques jours. Parmi tous les insectes qu'il sait reconnaître, un arbre est en effet capable de repérer le chenapan qui s'en prend à lui, car chaque espèce possède une salive spécifique qui permet de l'identifier avec certitude. Le système fonctionne si bien que des substances attirantes peuvent être émises pour ameuter des prédateurs spécialistes de l'espèce qui vont se faire une joie de prêter main-forte aux arbres en dévorant les parasites. Les ormes et les pins font ainsi appel à des petites guêpes[3] qui pondent leurs œufs dans le corps des chenilles qui les envahissent. Les larves de guêpes y éclosent à l'abri puis se développent en dévorant petit à petit la grosse chenille de l'intérieur. Il existe des morts plus douces, je le concède, mais c'est à ce prix que l'arbre libéré de ses parasites peut de nouveau croître et embellir.

Petite parenthèse : leur capacité à identifier la salive d'un insecte prouve que les arbres, parmi d'autres spécificités, possèdent également un sens du goût.

Les odeurs ont l'inconvénient de se diluer si rapidement dans l'air que leur rayon d'action est souvent inférieur à 100 mètres. Ce défaut est néanmoins contrebalancé par un double champ d'intervention. La diffusion du signal d'alerte au sein de l'arbre étant très lente, utiliser la voie des airs permet à l'arbre de franchir de grandes distances en peu de temps et ainsi de prévenir beaucoup plus vite les parties de son corps éloignées de plusieurs mètres.

L'appel à l'offensive antiparasite n'a souvent même pas besoin de cibler une espèce. Le monde animal perçoit tous les signaux chimiques émis par les arbres et sait qu'une attaque est en cours et à quelle espèce appartiennent les agresseurs. Quiconque est friand des petits organismes à l'œuvre se sent irrésistiblement attiré. Les arbres sont toutefois capables de se défendre seuls. Les chênes envoient des tanins amers et toxiques dans leur écorce et leurs feuilles. Si les ravageurs ne sont pas exterminés, au moins cela transforme-t-il la succulente salade en verdure immangeable. Les saules obtiennent le même résultat en fabriquant de la salicyline aux effets tout aussi destructeurs. Chez les insectes, pas chez nous autres humains, où une tisane d'écorce de saule, ancêtre de l'aspirine, atténue au contraire les maux de tête et la fièvre.

Ce système de défense prenant du temps à se mettre en place, le bon fonctionnement du réseau d'alerte précoce est déterminant. Les arbres évitent de se reposer sur la seule voie des airs, qui ne garantit pas que tous les voisins aient vent du danger. Ils préfèrent assurer leurs arrières en envoyant aussi leurs messages aux racines qui relient tous les individus entre eux et travaillent avec la même efficacité, qu'il pleuve ou qu'il vente. Les informations sont transmises chimiquement mais aussi, ce qui est plus surprenant, électriquement, à la vitesse d'un centimètre par seconde. Comparé à la vitesse de diffusion au sein du corps humain, c'est d'une extrême lenteur, mais il existe aussi dans le règne animal des espèces comme les méduses ou les vers qui ne sont guère plus rapides[4]. Dès qu'ils ont connaissance de la nouvelle, tous les chênes environnants mettent à leur tour de grandes quantités de tanins en circulation dans leurs vaisseaux. Les racines d'un arbre s'étendent sur une surface qui dépasse de plus du double l'envergure de la couronne. Il en résulte un entrelacement des ramifications souterraines qui crée autant de points de contact et d'échanges entre les arbres. Ce n'est pas systématique, car une forêt héberge aussi des solitaires et des individualistes réfractaires à toute idée de collaboration. Suffirait-il qu'une poignée de ronchons refusent de participer pour bloquer la diffusion de l'alerte ? Non, heureusement, car la plupart du temps, des champignons sont appelés à la rescousse pour garantir la continuité de la transmission. Ils fonctionnent sur le même principe qu'Internet par fibre optique. La densité du système de filaments qu'ils développent dans le sol est à peine imaginable. Pour vous donner une idée, une cuillerée à café de terre forestière contient plusieurs kilomètres de ces filaments appelés hyphes[5]. Au fil des siècles, un unique champignon peut ainsi s'étendre sur plusieurs kilomètres carrés et mettre en réseau des forêts entières. En transmettant les signaux d'un arbre à un autre par ses ramifications, il concourt à l'échange d'informations sur les insectes, la sécheresse du sol ou tout autre danger. Aujourd'hui, les scientifiques parlent même de « *Wood-Wide-Web* » pour évoquer l'activité de ce réseau forestier. La recherche sur le type et le volume d'informations échangées est encore embryonnaire. Des contacts entre espèces différentes, alors même qu'elles se considèrent comme concurrentes, ne sont pas exclus. Les champignons ont en effet une stratégie qui leur est propre, et ils peuvent être de très efficaces intermédiaires.

Les défenses d'un arbre affaibli s'émoussent, mais sans doute aussi son aptitude à communiquer. Sinon comment expliquer que les insectes agresseurs ciblent leurs attaques précisément sur les individus fragiles ? Il n'est pas inconcevable qu'ils écoutent les arbres, cherchent à capter les signaux chimiques d'alerte et testent d'une morsure dans l'écorce ou une feuille la réactivité des individus silencieux. Parfois le mutisme est imputable à une atteinte pathologique grave, mais il peut aussi résulter d'une rupture de l'association avec le réseau de champignons. Coupé de toute information, l'arbre ignore qu'un danger le menace, et c'est buffet à volonté pour les chenilles et les coléoptères. Les individualistes mentionnés plus haut sont tout aussi fragiles; ils présentent certes les signes d'une parfaite santé, mais leur isolement les condamne à l'ignorance.

Les arbres ne sont pas les seuls à communiquer ainsi entre eux; les buissons, les graminées échangent aussi, et probablement toutes les espèces végétales présentes dans la communauté forestière. En revanche, dès que l'on pénètre dans une zone agricole, la végétation devient très silencieuse. La main de l'homme a fait perdre aux plantes cultivées beaucoup de leur aptitude à communiquer par voie souterraine ou aérienne. Quasi muettes et sourdes, elles sont une proie facile pour les insectes[6]. L'utilisation massive de pesticides par l'agriculture moderne trouve là une de ses explications. Les exploitants de terres agricoles gagneraient à s'inspirer du fonctionnement des forêts et à laisser un peu de naturel réinvestir les cultures de céréales et de pommes de terre pour qu'elles recouvrent la parole.

Les arbres et les insectes ont d'autres raisons de communiquer que les seules tristes questions d'agression parasitaire et de maladie. Les signaux agréables existent, et vous en avez sûrement déjà perçu, ou plus précisément, senti. Je veux parler des messages olfactifs envoyés par les fleurs. Le parfum qu'elles émettent n'est ni fortuit ni destiné à nous séduire. Les arbres fruitiers, les saules ou les châtaigniers diffusent des messages olfactifs pour attirer l'attention et inviter les abeilles à venir faire le plein chez eux. Le doux nectar que les insectes butinent est la récompense de la pollinisation qu'ils accomplissent à leur insu. La forme et la couleur des fleurs sont elles aussi des signaux destinés à les distinguer de toute la verdure du feuillage, un peu comme des panneaux publicitaires qui indiquent l'entrée d'un restaurant. Nous savons désormais que les arbres communiquent olfactivement, visuellement et électriquement (par l'intermédiaire de sortes de cellules nerveuses situées aux extrémités des racines). Mais qu'en est-il de l'émission de sons, donc de l'ouïe et de la parole ?

Quand j'affirme au début de ce chapitre que les arbres n'émettent aucun son, peut-être ne devrais-je pas être aussi péremptoire. Une équipe de chercheurs, autour de Monica Gagliano de l'université d'Australie-Occidentale, a entrepris d'écouter le sol[7]. Travailler sur des arbres en laboratoire étant malcommode, ils ont préféré porter leur étude sur des semis de céréales, plus aisés à manipuler. Et de fait, les appareils de mesure ont rapidement enregistré un léger craquement des racines d'une fréquence de 220 hertz. Des racines qui craquent ? Est-ce si extraordinaire ? Le bois mort aussi craque, ne serait-ce que lorsqu'il brûle. Le bruit constaté en laboratoire avait cependant de quoi interpeller. En effet, les racines des germes non impliqués y réagissaient. Dès qu'elles étaient exposées à un craquement de 220 hertz, les pointes s'orientaient dans la direction du bruit. Cela signifie que les graminées perçoivent cette fréquence ; en d'autres mots, qu'elles « entendent ». Les végétaux échangeraient des informations par ondes sonores ? L'idée ouvre de formidables perspectives. Communiquer par ondes sonores, nous savons le faire. Pour le coup, mon imagination s'emballe. Quel bouleversement si nous avions accès à ce que des hêtres, des chênes ou des pins ressentent, si nous pouvions comprendre ce qu'ils disent ! Nous n'en sommes malheureusement pas encore là ; l'exploration de ce domaine scientifique n'en est qu'à ses balbutiements. Il n'empêche, lors d'une prochaine excursion en forêt, si vous percevez de légers craquements, pas sûr que ce soit le seul fait du vent…

Tous solidaires

DES JARDINIERS AMATEURS ME DEMANDENT SOUVENT si
leurs arbres ne sont pas plantés trop près les uns des autres
et ne souffrent pas d'un manque de lumière et d'eau. Cette
inquiétude est directement issue de ce nous savons de la
sylviculture. On attend d'une forêt qu'elle produise de
gros troncs prêts à être récoltés en peu de temps. Les arbres
ont donc besoin de beaucoup de place, et leur houppier
doit être bien développé et régulier. Remplir ces deux
critères exige l'abattage systématique, tous les cinq ans,
des individus censés leur faire concurrence. Comme les
arbres n'ont pas le temps de vieillir et partent pour la
scierie dès qu'ils ont 100 ans, les effets négatifs sur leur
santé sont à peine décelables. Les effets négatifs ? Le bon
sens ne veut-il pas qu'un arbre se développe mieux quand
il n'est pas gêné par des concurrents ? quand son feuillage
est baigné de soleil ? quand ses racines disposent de toute
l'eau souhaitée ? Pour les individus qui appartiennent à
des espèces différentes, c'est effectivement le cas. Ils se
disputent bel et bien l'accès à la lumière et aux ressources
du sol. Pour des arbres de la même espèce, en revanche,
la situation est tout autre. J'ai évoqué plus haut l'amitié et

l'entraide dont les hêtres pouvaient faire preuve. Une forêt n'a aucun intérêt à perdre ses individus les plus faibles. Elle n'y gagnerait que des espaces vides et cela déstabiliserait le fragile équilibre entre pénombre et haute humidité de l'air qui caractérise son microclimat. Il est vrai qu'en contrepartie chaque individu pourrait se développer librement et vivre sa vie sur son microlopin de terre. Mais certains arbres, dont les hêtres, sont de fervents défenseurs d'une justice distributive. Vanessa Bursche, de l'université d'Aix-la-Chapelle, a fait une étonnante découverte sur la photosynthèse dans les forêts naturelles de hêtres. Les arbres se synchroniseraient de façon que tous aient les mêmes chances de développement. Cela ne va pas du tout de soi. Chaque hêtre pousse à un emplacement particulier. Selon que le sol est caillouteux ou meuble, qu'il renferme beaucoup ou peu d'eau, qu'il offre une abondance de nutriments ou est très pauvre, sa qualité peut varier du tout au tout en l'espace de quelques mètres. Tous les arbres ne bénéficient pas des mêmes conditions de développement ; certains vont pousser plus vite que d'autres et, par voie de conséquence, fabriquer plus de glucides et de bois. Le résultat de l'étude est d'autant plus surprenant : les arbres compensent mutuellement leurs faiblesses et leurs forces. Le rééquilibrage s'effectue dans le sol, par les racines. Et les échanges vont bon train. Qui est bien nanti donne généreusement et qui peine à se nourrir reçoit de quoi améliorer son ordinaire. Nous retrouvons ici aussi les champignons dont l'immense réseau agit cette fois en machine à redistribuer géante. En somme, le système fonctionne un peu comme nos services d'aide sociale.

Dans ce contexte, les hêtres ne sont jamais trop serrés, bien au contraire. Plus ils sont proches les uns des autres, mieux c'est. L'espacement des troncs de moins d'un mètre, que l'on rencontre souvent, leur convient très bien, même si leurs houppiers demeurent petits et ramassés. Les forestiers sont encore nombreux à juger cela néfaste pour les arbres, et les opérations d'éclaircissage consistant à abattre les spécimens réputés inutiles sont fréquentes. Des forestiers de Lübeck ont cependant observé qu'une forêt de hêtres dont les individus poussent serrés est plus productive. L'augmentation annuelle de la production de biomasse, notamment de bois, atteste de la bonne santé des peuplements denses. Quand ils vivent en groupe serré, la répartition des substances nutritives et de l'eau entre tous les individus est optimale, si bien que chaque arbre parvient au meilleur développement possible. Si l'on « aide » ici et là un individu à se débarrasser de sa supposée concurrence, les arbres restants deviennent des solitaires. Ils ne sont plus entourés que de souches et les connexions se perdent dans le vide. Chacun se débrouille comme il peut dans son coin, avec pour conséquence de gros écarts de productivité. Chez certains individus, la photosynthèse tourne à plein régime et la production de glucose est pléthorique. Ils poussent mieux que les voisins et sont en excellente forme. Pour autant, leur durée de vie n'est pas remarquable, car la condition d'un arbre ne peut pas être meilleure que celle de la forêt qui l'entoure, et il y a désormais beaucoup de mal lotis autour de lui. Les individus en situation de faiblesse, qui étaient auparavant soutenus par les plus forts, se retrouvent d'un coup à la traîne. Une implantation dans un sol pauvre en éléments nutritifs, un stress temporaire ou un bagage génétique défavorable, et ils sont la proie des insectes et des champignons. Que seuls les plus forts survivent, cela ne va-t-il pas dans le sens de l'évolution ? Je crains que les arbres ne soient pas de cet avis. Leur bien-être dépend de la communauté ; si les plus faibles disparaissent, tous y perdent. La forêt devient ouverte à tout, aux brûlures du soleil, aux vents violents qui pénètrent jusqu'au sol et modifient l'environnement climatique, frais et humide. Même les arbres robustes sont victimes de maladies plusieurs fois au cours de leur vie et dépendent de l'aide de leurs voisins plus faibles. Superchampions ou pas, si celle-ci n'est plus disponible, une insignifiante invasion d'insectes suffit à sceller leur destin.

J'ai moi-même déclenché un cas d'entraide extraordinaire. Au début de ma carrière, j'ai fait cercler des jeunes hêtres. La pratique consiste à éliminer une large bande d'écorce à une hauteur d'un mètre pour induire la mort de l'arbre. Dans cette méthode d'écorçage, les troncs ne sont pas coupés, les arbres dévitalisés restent sur pied à l'état de bois mort. Ils libèrent néanmoins de la place pour les arbres vivants car leurs houppiers dépourvus de feuilles laissent passer beaucoup de lumière. La pratique vous paraît barbare ? C'est aussi mon avis, car la mort survient au terme d'années de résistance et je ne m'autoriserais plus un tel mode de gestion. J'ai pu voir de mes yeux combien les hêtres luttaient pour survivre, au point que certains ne sont toujours pas morts. Cela ne devrait pas être possible. En théorie, sans continuité de l'écorce, les feuilles ne peuvent plus envoyer de sucres aux racines. Affamées, celles-ci cessent leur activité de pompage, l'eau ne circule plus dans l'arbre, le houppier n'est plus alimenté et l'arbre entier se dessèche et meurt. Pourtant un nombre important d'individus ont continué tant bien que mal à pousser. Depuis, je sais que ce miracle tient à l'aide active des voisins qui n'avaient pas perdu leur intégrité. En assurant l'alimentation des racines par leurs ramifications souterraines, ils ont permis la survie de leurs compagnons. Certains sont même parvenus à fabriquer de l'écorce pour recouvrir la plaie de leur tronc. Je dois avouer que j'ai toujours un peu honte quand je vois ce que j'ai fait, quoique j'y aie aussi appris combien la communauté des arbres peut être efficace.

La solidité maximale d'une chaîne est celle de son maillon le plus faible. Cet adage issu du monde artisan aurait pu être inventé par les arbres. Sans doute est-ce parce qu'ils en ont la connaissance intuitive qu'ils s'aident les uns les autres sans condition.

Le temps des amours

AVEC UNE REPRODUCTION QUI SE PLANIFIE AU MOINS UN AN à l'avance, le cycle de vie des arbres s'inscrit lui aussi dans la lenteur. La fréquence des amours printanières dépend du groupe auquel l'arbre appartient. Tandis que les conifères s'efforcent de disperser leurs graines dans la nature tous les ans, la stratégie des feuillus est tout autre. La floraison fait l'objet d'une première concertation. Doit-on se lancer dans l'opération au printemps prochain ou attendre encore une ou deux années? Les essences forestières préfèrent fleurir toutes en même temps car cela favorise le brassage des gènes d'un grand nombre d'individus. Les conifères ne dérogent pas à cette règle, mais les feuillus ont une raison supplémentaire de s'accorder: la présence de sangliers et de chevreuils. Ces animaux sont particulièrement friands de faînes et de glands grâce auxquels ils se constituent une épaisse réserve de gras pour l'hiver. Leur appétit pour ces fruits qui contiennent jusqu'à 50 % de lipides et de glucides, ce qu'aucune autre nourriture ne leur apporte, est sans égal. Il est fréquent, à l'automne, que des territoires forestiers entiers soient ratissés jusqu'à la dernière miette, si bien qu'au printemps suivant aucune plantule nouvelle ne se développe. Convenir d'une attitude commune est une question de survie pour les arbres. S'ils ne fleurissent pas tous les ans, les sangliers et les chevreuils ne peuvent pas compter sur eux. Leurs portées sont limitées, car les femelles en gestation doivent affronter un long hiver de disette auquel nombre d'entre elles ne survivent pas. Quand enfin les hêtres ou les chênes fleurissent et fructifient, les herbivores sont si peu nombreux en regard de la soudaine abondance de nourriture qu'il reste toujours suffisamment de graines qui échappent à leur appétit, germent et assurent ainsi la perpétuation de l'espèce. Ces années-là, la forêt leur offrant de quoi se nourrir tout l'hiver, le taux de reproduction des sangliers est multiplié par trois. Autrefois, les années de « grande faînée » ou de « glandée », appelées aussi années grasses, étaient une bénédiction pour les paysans qui menaient les porcs domestiques pâturer dans les bois pour les engraisser avant de les abattre. Ces années fertiles n'ont qu'un temps ; l'année suivante, les arbres reprennent une année sabbatique, aucun fruit ne jonche le sol des sous-bois et la population de sangliers s'effondre de nouveau.

Ces floraisons à intervalles de plusieurs années ne sont pas sans conséquence sur la vie des insectes, en particulier des abeilles. Elles connaissent le même stress que les sangliers : une interruption de plusieurs années fait chuter leurs effectifs, déjà réduits car les abeilles ne parviennent pas à former de grandes populations. La raison en est que les véritables arbres forestiers n'accordent pas le moindre intérêt à ces petits auxiliaires. Qu'ont-ils besoin de quelques pollinisateurs quand il s'agit de butiner des millions et des millions de fleurs sur des centaines de kilomètres carrés ? Il leur faut un dispositif d'une autre envergure, plus sûr et, tant qu'à faire, qui n'exige aucune contrepartie.

Et quoi de plus facile à utiliser que le vent pour prélever dans les fleurs les grains de pollen fins comme de la poussière et les transporter aux arbres voisins ? Les courants aériens présentent un autre avantage : on peut compter sur eux quand la température baisse, même au-dessous de 12 °C, valeur à partir de laquelle il fait trop froid pour que les abeilles sortent. Sans doute est-ce pour cette garantie d'efficacité que les conifères s'en remettent eux aussi à la méthode de pollinisation par le vent. Pourtant, ils n'en ont pas réellement besoin car ils produisent du pollen presque chaque année et n'ont guère à craindre des sangliers qui ne trouvent aucun intérêt à la consommation des petites coques renfermant les graines de conifères. Ils attirent des oiseaux, dont le bec-croisé des sapins, qui comme son nom l'indique possède un bec dont les solides maxillaires croisés lui permettent d'extraire les graines des cônes et de les manger, mais rapportée au nombre de résineux, ils ne sont pas suffisamment nombreux pour constituer une menace. Et comme presque aucun animal n'entreprend de faire des réserves de leurs graines pour l'hiver, les conifères dotent leur potentielle descendance de petites ailes d'hélicoptères. Ainsi équipées, les graines tombent lentement au sol et le premier souffle d'air peut les emporter au loin, une stratégie qui dispense les conifères de faire des pauses comme les hêtres ou les chênes.

Pins et sapins produisent d'énormes quantités de pollen ; à croire qu'en matière de fécondation ils veulent faire encore mieux que les feuillus. Les quantités sont telles qu'à la moindre brise d'immenses nuages de poussière jaune flottent au-dessus des forêts de conifères en fleur comme si un feu couvait sous les frondaisons. Comment diable, au milieu de ce tumulte, est-il possible d'éviter les unions consanguines ? Les arbres doivent d'avoir survécu jusqu'à nos jours à leur grande diversité génétique au sein d'une même espèce. Quand tous libèrent leur pollen au même moment, les minuscules grains de tous les individus se mêlent et traversent les houppiers de l'ensemble des arbres. Le pollen d'un sujet étant particulièrement concentré autour de son arbre d'origine, le risque de fécondation de ses propres fleurs femelles est grand. Pourtant, cela n'arrive pratiquement jamais. Les arbres ont développé des stratégies diverses pour se préserver du danger. Certaines espèces, dont les pins, misent sur un bon timing. Les fleurs mâles et femelles d'un même individu s'épanouissent à quelques jours d'intervalles, de façon que ces dernières soient essentiellement fécondées par les pollens provenant d'autres individus de la même espèce. Parmi les feuillus, les merisiers, qui font confiance aux insectes, n'ont pas cette possibilité. Chez eux, les organes sexuels mâles et femelles sont portés par une même fleur. Ils présentent en outre la caractéristique d'être une des rares vraies espèces forestières à être pollinisées par les abeilles qui explorent systématiquement l'ensemble du houppier et dispersent le pollen sur l'arbre qu'elles butinent. Le merisier est plein de ressources : il sent quand un risque de consanguinité menace. Une fois en contact avec le stigmate, le grain de pollen développe un fin tube pollinique pour pénétrer dans le style de la fleur femelle et la féconder, mais avant de pouvoir acheminer sa semence jusqu'à l'ovule, il est testé. Si la fleur reconnaît son propre pollen, l'acheminement est interrompu et le tube s'atrophie. Seul le matériel génétique étranger, garant d'une bonne fécondation, peut atteindre l'ovule et aboutir à la formation de graines et de fruits. Quels éléments permettent à l'arbre de distinguer son pollen de celui du voisin ? La science continue de s'interroger. Nous savons seulement qu'il s'agit d'un phénomène d'activation de certains gènes et de leur acceptation par un arbre donné. Ne pourrait-on pas dire tout simplement que l'arbre le sent ?

L'amour physique n'a-t-il pas chez nous aussi plus d'importance que la sécrétion de transmetteurs qui à leur tour vont activer la sécrétion d'hormones ? L'accouplement chez les arbres risque de relever encore longtemps du domaine de la spéculation.

Quelques espèces adoptent une stratégie d'évitement de l'autopollinisation radicale : chaque individu n'a qu'un seul sexe. C'est le cas du saule marsault qui est soit mâle soit femelle et ne court jamais le risque de se reproduire avec lui-même. Précisons toutefois que les saules ne sont pas de vrais arbres forestiers mais une espèce pionnière, c'est-à-dire une des premières à coloniser les espaces dépourvus d'arbres. Ces milieux hébergeant des milliers de graminées et de buissons qui attirent les abeilles, les saules s'en remettent eux aussi à ces insectes pour la pollinisation. L'affaire, toutefois, est compliquée : pour qu'il y ait fécondation, les abeilles doivent d'abord visiter un saule mâle, prendre du pollen puis le transporter sur un arbre femelle. Commencer à butiner en sens inverse n'aurait aucun effet. Quand les deux sexes doivent fleurir en même temps, comment l'arbre parvient-il à ce que les abeilles travaillent dans le bon ordre ? Des scientifiques ont découvert que le moment venu, les saules des deux sexes sécrétaient une substance odorante qui attirait les abeilles. Une fois les insectes sur place, l'opération devient une question de visibilité. Les saules mâles déploient le grand jeu avec de beaux chatons odorants de couleur jaune clair pour se faire remarquer les premiers. Les abeilles volent droit sur eux, font un premier plein de nectar, puis regardent autour d'elles et découvrent les discrètes fleurs verdâtres des arbres femelles[8].

La consanguinité telle que nous la connaissons chez les mammifères, au sein d'une population d'individus apparentés, est néanmoins possible dans les trois cas décrits.

C'est là que le vent autant que les abeilles sont particulièrement précieux. Grâce aux grandes distances qu'ils parcourent, ils permettent qu'au moins une partie des arbres
reçoive le pollen de parents géographiquement éloignés et
contribuent ainsi à ce que la ressource génétique locale soit
constamment régénérée. Seuls les peuplements complètement isolés d'espèces rares et ne comptant que des groupes
réduits d'individus risquent de perdre leur multiplicité et,
devenus dès lors plus fragiles, de complètement disparaître
en quelques siècles.

Question de chance

LES ARBRES VIVENT EN ÉQUILIBRE INTERNE. La satisfaction de leurs besoins exige qu'ils répartissent et gèrent leurs forces avec soin. Une part de leur énergie est dédiée à la croissance. Les branches doivent être prolongées ; le tronc, qui supporte un poids croissant, doit gagner en diamètre. Une seconde part est mise de côté pour activer la production de substances répulsives dans les feuilles et l'écorce dès que survient une attaque de ravageurs ou de champignons. Reste la reproduction. Chez les espèces qui fleurissent chaque année, l'exploit s'inscrit dans un processus prévisible où toutes les forces s'équilibrent. En revanche, chez les espèces comme le hêtre ou le chêne qui ne fleurissent que tous les trois ou cinq ans, l'événement est très déstabilisant. La majeure partie de l'énergie a déjà été destinée à autre chose ; au surplus, les faînes et les glands sont produits en de telles quantités qu'ils priment sur tout le reste. Le premier souci est celui de l'encombrement des branches. Aucune place n'y étant prévue pour les fleurs, c'est aux feuilles de libérer l'emplacement qui était le leur. Quand les fleurs fanées tombent au sol, les arbres ont un drôle d'aspect déplumé. Rien d'étonnant à ce que, ces années-là, les constats forestiers signalent la prévalence de houppiers défeuillés. Dès lors que les arbres ont fleuri et fané en même temps, à première vue, la forêt paraît malade.

Elle n'est pas malade, certes, mais elle est tout de même fragilisée. Pour fabriquer cette profusion de fleurs, les arbres puisent en effet dans leurs dernières réserves. Pour compliquer le tout, le feuillage, contraint de réduire son ampleur, produit moins de sucres que les années ordinaires. Et, nouvel handicap, la majeure partie de ces sucres est transformée en lipides dans les graines, si bien qu'il en reste à peine pour la construction de l'arbre lui-même et les stocks à constituer pour l'hiver. Sans parler des réserves d'énergie théoriquement prévues pour résister aux maladies. Une foule d'insectes n'attendaient que cela. Parmi eux, le charançon du hêtre, qui pour ne mesurer que deux petits millimètres n'en pond pas moins des millions d'œufs sur le feuillage sans défense. Ses minuscules larves creusent des galeries entre les membranes supérieure et inférieure des feuilles et laissent derrière elles des taches rousses caractéristiques. Puis le ravageur adulte perce des trous dans les feuilles qui paraissent avoir été criblées de petits plombs de chasse. Certaines années, les hêtres sont tellement infestés que de loin le feuillage semble non plus vert mais roux. S'ils étaient au mieux de leur forme, les arbres se défendraient, ils empoisonneraient, au sens strict du terme, la nourriture des insectes. Mais la floraison les a épuisés et ils n'ont d'autre choix que de supporter l'agression en silence. Les sujets sains surmontent l'épreuve, d'autant que plusieurs années de répit succèdent à cette mauvaise saison. Mais chez un sujet affaibli, une attaque de ravageurs peut sonner le glas. Ce n'est pas pour autant que l'arbre s'abstiendrait de fleurir. Nous savons de l'observation de la floraison des sites forestiers en voie de dépérissement que ce sont précisément les sujets mal en point qui mettent le plus d'ardeur à fleurir. Sans doute est-ce afin d'assurer leur descendance avant que la mort signe la disparition définitive de leur patrimoine génétique. Des effets similaires sont induits par les records de sécheresse et de chaleur de certains étés qui mènent les arbres au bord de la rupture puis les font abondamment fleurir le printemps suivant. Ce qui, au passage, tord le cou à l'idée qui voudrait qu'une abondance de glands et de faînes indique que l'hiver sera particulièrement rigoureux. La floraison se préparant au cours de l'été, une profusion de fruits renseigne tout au plus sur ce qui s'est passé quelques mois auparavant.

La faiblesse des défenses de l'arbre réapparaît à l'automne dans la qualité des graines. Le charançon, que rien n'arrête, creuse aussi des galeries dans l'ovaire des fleurs. Celles-ci sont malgré tout en mesure de produire des faînes, mais elles sont vides, donc sans valeur nutritionnelle ou reproductive.

Une fois les graines de l'arbre tombées à terre, chaque espèce suit sa stratégie de germination. Sa stratégie de germination? Les graines qui somnolent sur la terre meuble et humide du sous-bois ne germent-elles pas dès que le premier soleil de printemps réchauffe l'air? Pas toutes. Rien n'est plus dangereux pour les embryons d'arbres que de reposer sans défense sur le sol de la forêt. Au printemps aussi, l'appétit des sangliers et des chevreuils est redoutable. Pour contrer leur voracité, certaines espèces, dont celles à gros fruits comme les hêtres et les chênes, misent sur la rapidité. La plantule jaillit aussi vite que possible de la faîne ou du gland afin qu'ils perdent leur attrait auprès des herbivores. Pour ces graines, la stratégie s'arrête là, aucune défense de longue durée n'est prévue contre les champignons et les bactéries. Les mal réveillées qui laissent passer la germination et sont toujours intactes à la fin de l'été vont rester sur place et pourrir jusqu'au printemps suivant. De nombreuses espèces donnent cependant à leurs graines la possibilité d'attendre une ou plusieurs années avant de démarrer. Le risque de se faire avaler est certes accru d'autant, mais les avantages sont considérables. En cas de printemps sec, si les plantules meurent de soif, toute l'énergie investie dans la reproduction aura été vaine. De même si un chevreuil vient à parcourir son territoire et justement s'arrête pour brouter là où la graine est tombée. À peine la plantule aura-t-elle déployé quelques goûteuses et tendres feuilles qu'elles seront englouties. Mais si une partie des graines ne germent qu'une ou plusieurs années plus tard, la nouvelle répartition des risques est telle que le développement de quelques arbustes est assuré. Cette méthode est adoptée par le sorbier des oiseleurs : ses graines peuvent rester en dormance jusqu'à cinq années avant de rencontrer des conditions propices à la germination. Espèce pionnière type, elle ne pouvait choisir meilleure stratégie. Tandis que les faînes et les glands tombent toujours au pied de leur mère-arbre, ce qui garantit aux germes de se développer dans un environnement forestier favorable, les sorbes peuvent atterrir partout. Rien, en effet, n'est moins prévisible que l'endroit où l'oiseau qui a consommé le petit fruit âpre rejette les graines dans leur boulette d'engrais. Si le milieu est ouvert, les températures élevées et le manque d'eau des années extrêmes seront beaucoup plus marqués qu'à l'ombre humide des sous-bois. Dans ce cas, il vaut mieux qu'au moins une partie des graines demeurent incognito et ne s'éveillent à la vie que des années plus tard.

Et une fois les graines sorties de leur dormance ? Quelles sont les chances des enfants-arbres d'accéder à l'âge adulte et de se reproduire à leur tour ? Le calcul est simple. D'après les statistiques, un arbre engendre un seul et unique successeur, lequel prendra sa place le moment venu. D'ici là, des graines vont germer, de jeunes descendants vont grandir puis végéter à l'ombre quelques années, voire quelques décennies, jusqu'au jour où ils vont rendre leur dernier souffle. Ils sont nombreux dans ce cas. Des dizaines de générations poussent ainsi au pied de leur mère puis disparaissent les unes après les autres. Seules les rares graines chanceuses qui doivent au vent ou à des animaux d'avoir été déposées sur un petit coin de litière forestière accueillant pourront germer, grandir et se développer sans entraves.

Mais revenons aux statistiques. Un hêtre produit au moins 30 000 faînes tous les cinq ans (voire tous les deux à trois ans avec le réchauffement climatique, mais laissons cet aspect de côté pour l'instant). Selon la quantité de lumière qu'il reçoit, il atteint la maturité sexuelle entre 80 et 150 ans. Si l'on considère qu'il vit 400 ans au maximum, il va donc fructifier au moins 60 fois et produire au total environ 1,8 million de faînes. Sur ce 1,8 million de faînes, une seule deviendra un arbre. Pour une forêt, c'est un superscore, quelque chose comme les six bons numéros du Loto. Tous les autres embryons sont soit mangés par des animaux, soit transformés en humus par des champignons et des bactéries. Calculons maintenant les chances d'un enfant-arbre parmi les plus mal lotis, par exemple un peuplier. La mère-arbre produit annuellement jusqu'à 26 millions de graines[9]. C'est peu dire que les rejetons-peupliers envient le sort des enfants-hêtres ! Jusqu'à ce que les parents tirent leur révérence, ils vont en effet produire plus d'un milliard de graines qui, bien à l'abri dans leur léger cocon de bourre, vont se laisser porter vers d'autres contrées. Et là comme ailleurs, les statistiques sont impitoyables, il n'y aura qu'une seule gagnante.

Éloge de la lenteur

J'AI LONGTEMPS IGNORÉ AVEC QUELLE LENTEUR LES ARBRES poussaient. Il y a dans mon district de jeunes hêtres qui mesurent entre 1 et 2 mètres de hauteur. Autrefois, je leur aurais donné 10 ans, tout au plus. Puis j'ai commencé à m'intéresser aux mystères en marge de la sylviculture et je les ai observés de plus près. L'âge des jeunes hêtres peut s'estimer à la lecture des petits nœuds présents sur les rameaux. Ces nœuds sont de minuscules grosseurs à l'aspect plissé. Elles se forment chaque année sous les bourgeons. Au printemps suivant, quand le bourgeon s'ouvre, le rameau s'allonge mais le nœud reste. Le phénomène se reproduisant chaque année, le nombre de nœuds correspond à l'âge du sujet. Quand le diamètre du rameau dépasse 3 millimètres, les nœuds disparaissent dans l'écorce.

Chez mes jeunes hêtres, une brindille de 20 centimètres présentait déjà 25 petits renflements. Le diamètre du tronc ne permettait plus de déceler des indices de croissance, mais une prudente extrapolation à partir de l'âge des rameaux permettait d'estimer l'âge des arbres à au moins 80 ans, si ce n'est beaucoup plus. À l'époque, cela me paraissait incroyable ; depuis que j'ai enrichi mes connaissances sur les forêts primaires, je sais que c'est tout à fait normal. Les petits arbres ne demandent qu'à se développer ; grandir de 50 centimètres par an leur conviendrait très bien. Malheureusement, leurs mères ne sont pas d'accord. Elles recouvrent leur progéniture de leurs immenses houppiers qui, avec ceux des arbres adultes voisins, forment un toit épais au-dessus de la forêt. Seuls 3 % des rayons du soleil filtrent jusqu'au sol, et donc jusqu'aux feuilles de leurs enfants. Trois pour cent, ce n'est pratiquement rien. Cela permet tout juste une activité photosynthétique suffisante pour maintenir un végétal en vie. Croître en hauteur ou gagner en épaisseur n'est donc pas envisageable. Et comment se rebeller contre cette éducation à la dure quand on n'a pas d'énergie ? Cette éducation ? Oui, car il s'agit d'une mesure pédagogique dont le seul but est le bien-être des jeunes. L'idée n'est pas fantaisiste, c'est un concept que les forestiers utilisent depuis des générations.

Cette mesure éducative est la restriction de lumière. Mais à quoi sert cette limitation ? Les parents n'ont-ils pas à cœur de voir leur progéniture devenir rapidement autonome ? Non, pas les parents-arbres, tant s'en faut, et depuis peu la science soutient leur position. Elle a en effet constaté que croître lentement en début de vie conditionnait la possibilité d'atteindre un grand âge. Nous perdons facilement de vue ce qu'est un grand âge pour un arbre, car la sylviculture moderne n'attend pas plus de 80 à 120 ans pour abattre et transformer des arbres plantés. Dans des conditions naturelles, à cet âge, les arbres sont à hauteur d'homme et gros comme des crayons. Conséquence de la lenteur de leur croissance, les cellules de leur bois sont très petites et renferment peu d'air. Ils en acquièrent une flexibilité qui leur permet de supporter les vents violents sans se casser. Plus important encore, ils résistent mieux aux champignons dont la propagation est limitée par la dureté des tissus internes. Les atteintes à leur intégrité ne sont pas dramatiques, car ils peuvent fabriquer de l'écorce pour recouvrir les plaies avant que de la pourriture s'installe. Si une bonne éducation est garante de longévité, la patience des enfants-arbres peut être mise à rude épreuve. «Mes» petits hêtres, qui attendent depuis au moins 80 ans, subsistent à l'abri de mères-arbres âgées d'environ 200 ans, ce qui équivaut à une quarantaine d'années pour un homme. Ces très jeunes arbres vont sans doute devoir encore végéter deux siècles avant d'avoir leur chance. Les mères veillent toutefois à adoucir l'attente. Elles établissent des contacts avec eux par les racines, et en bonnes mères nourricières abreuvent ainsi leurs petits en sucres et éléments nutritifs.

Il est possible au béotien de savoir si de jeunes arbres sont au stade de l'attente ou prêts à jaillir vers le ciel. Observez les petites branches d'un jeune sapin blanc ou d'un jeune hêtre. Si les branches latérales sont nettement plus longues que la tige maîtresse verticale, le jeune est en phase d'attente. Comme la lumière qu'il reçoit ne lui permet pas de synthétiser l'énergie nécessaire à la construction d'un tronc plus long, il s'efforce d'exploiter au mieux les maigres rayons qu'il capte. Ses branches s'étendent à l'horizontale et développent un type particulier de feuilles ou d'aiguilles peu épaisses et très sensibles. Il est fréquent, chez ces petits arbres, que l'on ne distingue plus la flèche ; ils ont un peu l'aspect de bonsaïs à la couronne en parasol.

Un jour, enfin, ils touchent au but. La mère-arbre a atteint l'âge limite ou est tombée malade. Un orage d'été l'achève. Le vieux tronc pourri ne parvient plus à soutenir l'énorme masse du houppier et il se brise sous les effets conjugués de la pluie battante et du vent. Quand le colosse s'effondre, plusieurs des plantules qui patientaient en attendant leur heure disparaissent, écrasées par leur mère. Pour le reste de la jeune troupe, la grande trouée qui s'est formée au-dessus de sa tête donne le signal de départ d'une activité photosynthétique effrénée. Avant de s'en donner à cœur joie, les jeunes doivent modifier leur métabolisme, former des feuilles et des aiguilles qui résistent mieux à la lumière et peuvent la synthétiser de façon optimale. Cela prend entre une et trois années supplémentaires. Cette étape franchie, c'est à qui arrivera le premier. Désormais, tous les petits aspirent à grandir mais seuls vont rester en course ceux qui poussent bien droit, sans détour ni tergiversation. Les dissipés qui se figurent qu'ils ont tout loisir d'aller voir à droite ou à gauche, qui flânent et musardent avant de démarrer pour de bon, ne vont pas tarder à le regretter. Leurs petits camarades ont tôt fait de les dépasser et de les plonger de nouveau dans la pénombre. Cette fois, cependant, il fait beaucoup plus sombre sous le feuillage des jeunes en pleine croissance que sous le couvert de leur mère, car ils consomment presque toute la lumière disponible pour leurs propres besoins. C'est ainsi que les malheureux retardataires s'étiolent, meurent et retournent à l'état d'humus.

D'autres dangers jalonnent le chemin vers les cimes. Dès que la lumière qui coule à flots stimule la photosynthèse et dope la croissance, les bourgeons des rejetons se gorgent de sucre. En phase d'attente, ils avaient tout de pilules coriaces et amères, et voilà qu'ils sont devenus de délicieuses choses sucrées, tout au moins du point de vue des chevreuils. Une nouvelle partie de la descendance finit dans l'estomac des gracieux cervidés qui trouvent là le supplément de calories qui va les aider à passer l'hiver. Les petits sont toutefois tellement nombreux qu'il en reste encore bien assez pour poursuivre l'ascension.

Les espaces soudain baignés de lumière plusieurs années de suite attirent les végétaux à fleurs, dont le chèvrefeuille des bois. Avide lui aussi de croître et de prospérer, il jette ses longues pousses volubiles à l'assaut des troncs sur lesquels il s'enroule, toujours vers la droite, dans le sens des aiguilles d'une montre.

Solidement accroché à son support, il s'élève vers la lumière en même temps que lui et peut bientôt épanouir ses fleurs au soleil. Mais tout a une fin ; avec les années, ses tiges s'enfoncent dans l'écorce et finissent par étrangler les arbustes. La suite est une question de chance : si quelque temps plus tard le toit formé par les couronnes des vieux arbres se referme et plonge le sous-bois dans la pénombre, le chèvrefeuille meurt, et seules restent des cicatrices sur les troncs. Mais si l'ensoleillement perdure, c'est notamment le cas lorsqu'une mère-arbre très grande laisse un vide important, ce sont les arbres-supports qui meurent. Les seuls à s'en réjouir, ce sont les amateurs de cannes aux beaux dessins spiralés que l'on peut fabriquer avec le bois de leurs troncs.

Ceux qui ont franchi tous les obstacles avec succès et poussent bien droit ne sont pas encore tirés d'affaire. Leur patience est de nouveau mise à l'épreuve une vingtaine d'années plus tard. C'est le temps qu'il faut aux voisins de la mère-arbre pour développer de nouvelles branches dans l'espace laissé vacant par sa mort. Car bien sûr, eux aussi saisissent la chance de pouvoir étendre leur surface foliaire, afin de gagner en capacité photosynthétique pour leurs vieux jours. Une fois l'étage supérieur entièrement occupé par le feuillage, l'étage inférieur est replongé dans la pénombre. Les jeunes hêtres, les sapins ou les pins ont à peine parcouru la moitié du chemin qu'ils doivent de nouveau attendre que l'un de leurs grands voisins jette l'éponge. Cela peut durer des décennies, mais à ce stade, les jeux sont faits. Tous ceux qui sont parvenus à mi-hauteur n'ont plus de concurrents à redouter. Héritiers en titre, seuls dans les starting-blocks, ils vont s'élancer à la première occasion, et cette fois sera la bonne.

Bonne conduite
et règlement intérieur

PAS QUESTION POUR UN ARBRE FORESTIER DE N'EN FAIRE qu'à sa tête. Vivre en communauté implique le respect d'un code de bonne conduite non écrit qui stipule à quoi doit ressembler un membre de forêt primaire digne de ce nom et ce qu'il peut ou ne peut pas faire. Un sujet feuillu adulte en conformité avec le règlement possède des caractéristiques précises. Le tronc est parfaitement droit et présente à la coupe des fibres de bois harmonieusement réparties. Les racines se développent de façon égale dans toutes les directions et s'enfoncent solidement dans le sol sous l'arbre. Les premières branches latérales, qui étaient grêles, sont tombées depuis longtemps, de l'écorce et du nouveau bois ont recouvert les cicatrices dont plus aucune trace n'apparaît sur la longue colonne lisse du tronc. Ce n'est que tout en haut que démarre la couronne de branches qui obliquent ou pointent vers le ciel comme des bras tendus pour former un bel ensemble équilibré. Cet arbre idéal est apte à vivre très longtemps. Les conifères sont tenus aux mêmes règles, quoiqu'ils aient droit à une dérogation pour leurs houppiers dont les branches peuvent être horizontales ou pointer légèrement vers le bas. Pour quoi tout cela? Les arbres seraient-ils de fins esthètes? Je serais bien incapable de le dire, mais une bonne raison justifie cette construction idéale: la stabilité. Les grands houppiers des arbres adultes sont exposés à des bourrasques de vent, de violentes averses de pluie, des tempêtes de neige. Il faut que ces forces soient amorties puis redirigées vers les racines qui doivent alors supporter un maximum de tension et empêcher l'arbre de tomber. On comprend mieux, dès lors, qu'elles s'accrochent à la terre et aux pierres. La force d'un ouragan frappant le pied d'un arbre peut correspondre à une poussée qui attendrait jusqu'à 200 tonnes[10]. Si l'arbre présente un point faible, des fissures se formeront; au pire le tronc peut se briser et entraîner le houppier dans sa chute. Quand la silhouette d'un arbre est équilibrée, les pressions sont amorties et réparties de façon égale sur l'ensemble de son corps.

Le rebelle qui dédaigne les bons usages court au-devant de problèmes. Imaginons par exemple que le tronc, au lieu d'être rectiligne, soit légèrement courbe. Il souffre déjà au repos, alors qu'aucun phénomène exceptionnel ne sollicite ses forces. En effet, le poids phénoménal de la couronne n'est pas également réparti sur l'ensemble de la circonférence du tronc, il pèse essentiellement sur un côté. Pour que le bois ne s'écrase pas, l'arbre doit renforcer ce point, ce qui se traduit par des cernes annuels plus foncés (moins d'air et plus de substance y sont stockés). Si deux flèches se sont formées, la situation est encore plus défavorable. On appelle ces arbres des fourches. Arrivé à une certaine hauteur, le tronc se divise en deux et mène de front la croissance de deux tiges maîtresses. En cas de vent fort, ces deux parties – qui ont chacune leur houppier – se balancent de façon différente, ce qui sollicite fortement le point bas de l'embranchement.

Si le point de jonction des deux tiges est en forme de U, comme un diapason, le plus souvent il ne va rien se passer. En revanche, s'il est en forme de V pointu, des déchirures répétées vont se produire au niveau de l'embranchement. Ces blessures étant très douloureuses, l'arbre fabrique de gros bourrelets de bois pour prévenir de nouveaux déchirements. Ces renforts sont toutefois rarement efficaces et du liquide, que des bactéries colorent en noir, suinte en permanence au point de jonction. Comble de malchance, de l'eau y stagne, s'infiltre dans la fente et entraîne la formation de pourriture. Un jour arrive où l'arbre se fend en deux et seule la moitié la plus robuste reste debout. Ce demi-arbre peut survivre quelques décennies, guère plus. L'immense plaie ouverte qu'il garde de la division ne parviendra jamais à cicatriser. L'arbre devient la proie de champignons qui vont peu à peu le détruire de l'intérieur.

Certains arbres commencent à pousser de travers, puis des années plus tard se réorientent et poursuivent leur croissance à la verticale. À croire qu'ils ont choisi la banane pour modèle de tronc. Ils ne se sentent pas concernés par le code de bonne conduite et, visiblement, ils ne sont pas les seuls : des sites forestiers entiers adoptent la même esthétique discutable. Les lois de la nature n'y auraient-elles plus cours ?

Bien au contraire, ce sont précisément les conditions environnementales qui contraignent les arbres à ces fantaisies architecturales. Notamment en montagne, à l'étage alpin, peu avant la limite des arbres*. En hiver, la couche de neige y atteint un mètre plusieurs semaines durant. Cette couche épaisse glisse en continu dans le sens de la pente, très lentement, à une vitesse imperceptible à l'œil nu. La pression

---

* Altitude au-delà de laquelle les arbres ne poussent plus et où commence l'étage alpin.

de l'énorme masse en déplacement courbe les arbres, du moins les jeunes arbres. Les plus petits n'en souffrent pas, ils se redressent sains et saufs à la fonte des neiges. Ceux qui ont déjà atteint quelques mètres, en revanche, en gardent de graves séquelles. Leurs troncs blessés, au mieux ne se redressent pas, au pire se cassent. Les arbres inclinés s'efforcent de repartir à la verticale, mais comme un arbre ne pousse que par sa pointe, la base du tronc demeure oblique. L'hiver suivant, les arbres subissent de nouveau la pression de la neige, et la pousse de l'année, de nouveau, part à la verticale.

Si le jeu se reproduit sur plusieurs années, l'arbre finit par être courbé comme un sabre. En prenant de l'âge et de l'épaisseur, le tronc acquiert une stabilité suffisante pour supporter sans dommages la pression d'une masse de neige normale. La partie inférieure du tronc garde sa forme de sabre tandis que la partie supérieure, que rien ne vient plus perturber, se développe désormais verticalement, comme il se doit.

La neige n'est pas toujours responsable de ce type d'accidents de croissance ; tous les arbres qui poussent à flanc de montagne peuvent en être victimes. En situation pentue, c'est le terrain lui-même qui peut glisser. Le déplacement est d'une lenteur extrême ; il ne s'agit souvent que de quelques centimètres en plusieurs années, mais cela suffit pour entraîner les arbres qui, là aussi, se retrouvent de guingois tout en continuant de croître à la verticale.

On peut observer une version extrême du phénomène en Alaska et en Sibérie où le réchauffement climatique provoque le dégel du permafrost. L'ancrage solide dont les arbres bénéficiaient cède la place à un sous-sol boueux qui n'offre plus aucun soutien. Chaque individu penchant dans une direction différente, la forêt ressemble à une petite armée d'ivrognes en campagne, d'où le nom d'«arbres ivres» que les scientifiques donnent à ces arbres.

En bordure de forêt, la règle de verticalité des troncs n'est plus aussi stricte. L'ourlet forestier qui borde une prairie ou un lac où, par définition, aucun arbre ne pousse, reçoit beaucoup de lumière. Les individus de petite taille peuvent échapper à l'ombre des grands arbres en se développant en direction du milieu ouvert. En orientant leur tige principale presque à l'horizontale, les feuillus parviennent ainsi à déporter leur houppier jusqu'à 10 mètres. Il va de soi que leurs troncs très inclinés les fragilisent et les mettent à la merci de grosses chutes de neige et des lois de la pesanteur qui n'hésiteront pas à réclamer leur tribut. Il n'empêche : une vie raccourcie avec suffisamment de lumière pour se reproduire est toujours préférable à pas de vie du tout. Si la plupart des feuillus saisissent leur chance de se construire un avenir, même limité, dans leur grande majorité, les conifères restent inflexibles. La consigne est la consigne ! Ils poussent toujours bien droit vers le ciel, à l'opposé de la force d'attraction de la Terre, afin de conserver des troncs parfaitement rectilignes et stables. Timide concession à la norme, les branches du côté de la lumière peuvent être plus grosses et plus longues, mais cela ne va pas plus loin. Le pin, hardi entre tous, est le seul à déporter son houppier. Ce qui lui vaut aussi d'être le conifère affichant le taux de cassure liée à la neige le plus élevé.

L'école forestière

LES ARBRES SUPPORTENT MIEUX LA FAIM, qu'ils peuvent assouvir à tout instant, que la soif. Il leur suffit en effet d'enclencher le processus de photosynthèse pour répondre à un besoin de glucides. Pour autant, de même que le meilleur boulanger a besoin d'eau pour faire son pain, les plus beaux arbres ne peuvent synthétiser de quoi s'alimenter que s'ils disposent de suffisamment d'humidité. Un hêtre adulte peut propulser jusqu'à 500 litres d'eau par jour dans ses branches et ses feuilles; tant que le sol en contient, il s'y emploie sans modération[11]. L'humidité du sol serait toutefois rapidement épuisée si un pompage quotidien de cette importance se poursuivait en été. Durant la saison chaude, il pleut trop peu pour recharger en eau la terre asséchée; la forêt fait donc le plein en hiver. Il y pleut en abondance et la consommation d'eau est temporairement réduite à néant, car presque toute la végétation est au repos. L'humidité accumulée dans le sol, à laquelle se sont ajoutées les précipitations du printemps, suffit la plupart du temps jusqu'au début de l'été. Ensuite, la situation se complique. Après seulement deux semaines de fortes chaleurs doublées d'absence de pluie, une majorité de forêts se retrouvent en difficulté. Les arbres qui poussent dans des sols régulièrement approvisionnés en eau sont les premiers à souffrir. Comme rien ne freine jamais leur consommation, ils sont habitués à user et abuser de la ressource ; le jour où l'eau vient à manquer, les sujets qui en ont le plus profité, et en ont désormais le plus besoin, sont souvent les plus touchés. Habituellement, ce sont les plus solides et les plus grands ; dans mon district, ce sont essentiellement les épicéas. Si dans le houppier les aiguilles persistent à réclamer de l'eau alors que le sol est asséché, il vient un moment où la tension dans le bois déshydraté est trop forte. Le tronc éclate ; il crisse, craque, et l'écorce se déchire sur un mètre de longueur. La blessure n'est pas superficielle, elle lèse les tissus jusqu'au cœur de l'arbre. L'atteinte est grave, car aussitôt des spores de champignons s'engouffrent dans la fente et commencent leur travail destructeur. L'épicéa va bien essayer, année après année, de colmater la plaie, mais celle-ci va toujours se rouvrir. La longue crevasse noire emplie de résine qui témoigne du douloureux processus est visible de loin…

La forêt est de la vieille école. Il y règne encore une certaine violence ; la nature est une maîtresse sévère : les distraits ou les dissipés qui ne s'adaptent pas le paient dans leur chair. Une déchirure dans le bois, dans l'écorce, dans le très sensible cambium : il ne peut guère arriver pire à un arbre. Il doit réagir, et pas seulement en tentant de refermer la plaie. Dorénavant, l'eau va devoir être mieux répartie, plus question de pomper jusqu'à plus soif au printemps sans se soucier des déperditions. Les arbres apprennent réellement à se modérer et, une fois cette notion de sobriété acquise, ils ne la perdent plus, même si la terre est gorgée d'eau ; on ne sait jamais ! Il n'est pas étonnant que les épicéas qui poussent en terrain humide soient les plus touchés par les épisodes de sécheresse : favorisés par la nature, ces enfants gâtés ne se sont jamais trouvés en situation de devoir s'adapter à la pénurie. Un kilomètre plus loin, sur un versant sud, sec et caillouteux, la situation est tout autre. C'est là que je me serais attendu à ce qu'une forte sécheresse estivale cause le plus de dommages. Or le constat est inverse. Les ascètes qui vivent ici sont des endurcis beaucoup plus résistants que leurs collègues qui n'ont jamais eu à se restreindre. Ils ont beau avoir nettement moins d'eau à leur disposition, à la fois parce que le sol en retient peu et parce que le soleil est plus desséchant, ces épicéas se portent bien. Ce ne sont pas des rapides, ils poussent beaucoup moins vite que les autres, mais le partage du peu d'eau fonctionne visiblement mieux et ils supportent sans difficulté les années de grande sécheresse.

Les signes de l'apprentissage de la stabilité sont plus évidents. Les arbres sont partisans du moindre effort. Pourquoi développer un tronc épais et stable quand on peut s'appuyer sur ses voisins ? Tant que ceux-ci répondent présents à l'appel, les risques ne sont pas bien grands. Mais nos forêts plantées du centre de l'Europe voient débarquer à intervalles réguliers des troupes d'ouvriers forestiers ou des machines de bûcheronnage géantes qui prélèvent 10 % de bois. Dans les forêts naturelles, c'est la mort de vieillesse d'une imposante mère-arbre qui va laisser son entourage sans appuis. La canopée, si confortable jusque-là, présente alors de grands vides et tel hêtre ou tel épicéa qui se reposait tranquillement sur ses voisins vacille subitement sur ses racines. Les arbres, nous l'avons vu, n'étant pas réputés pour leur rapidité, il leur faut entre trois et dix ans pour s'adapter à la nouvelle donne et retrouver leur stabilité. L'apprentissage se fait au prix de douloureuses microdéchirures provoquées par le balancement répété dans le vent. L'arbre doit renforcer les points sensibles de son squelette. Cela demande une importante somme d'énergie qui n'est alors plus disponible pour la croissance en hauteur. Petite consolation, le surplus de lumière dû à la disparition du ou des voisins est désormais dévolu au houppier de l'esseulé. Toutefois, là aussi il faut compter quelques années avant qu'il puisse en tirer bénéfice. Les feuilles adaptées à la pénombre du couvert sont fines et particulièrement sensibles à la lumière. Le soleil qui désormais les frappe de plein fouet les brûle impitoyablement. Chez les feuillus, la formation des bourgeons d'une année s'effectue durant le printemps et l'été de l'année qui précède. La réadaptation des feuilles à la lumière n'est donc possible, au plus tôt, qu'après deux périodes de végétation. Les conifères ont besoin de plus de temps encore, car leurs aiguilles peuvent rester jusqu'à sept ans sur les branches. Ce n'est que lorsque le feuillage s'est complètement renouvelé que la vie reprend son cours normal. La grosseur et la stabilité d'un tronc dépendent donc d'un quotidien sans anicroche. Dans les forêts naturelles, cette alternance de périodes calmes et de périodes mouvementées peut se produire à plusieurs reprises au cours de la vie d'un arbre. Une fois surmonté le vide apparu par la défection d'un voisin, tous les individus alentour développent leur houppier, la fenêtre de lumière se referme sur la forêt et tous peuvent comme avant s'appuyer les uns sur les autres. Trop heureux de la situation, les arbres mettent derechef plus d'énergie à croître en hauteur qu'à se développer en épaisseur, avec les conséquences que l'on sait quand quelques décennies plus tard un autre voisin tirera sa révérence.

Mais poursuivons notre idée d'apprentissage. Si les arbres sont capables de retenir une information (et nous l'avons observé), la question se pose alors de découvrir où ils stockent les connaissances acquises et comment ils peuvent les rappeler. Pour autant que nous le sachions, ils n'ont pas de cerveau qui ferait office de mémoire de données et piloterait toutes les fonctions. Le constat vaut pour tous les végétaux, d'où le scepticisme de nombreux scientifiques et d'au moins autant de forestiers pour lesquels les capacités d'apprentissage de la flore relèvent du fantasme. C'est compter sans Monica Gagliano, dont nous connaissons déjà les travaux sur les sons émis par les végétaux. La jeune scientifique australienne a étudié le comportement d'une variété de mimosa semi-arbustive d'origine tropicale, la sensitive, appelée aussi *Mimosa pudica*. La sensitive est un bon sujet d'étude, car il suffit d'un rien pour la titiller, et son faible encombrement la rend plus facile à manipuler en laboratoire qu'un arbre. Au moindre contact, les folioles de ses feuilles se ferment pour se protéger. Un premier test a consisté à faire tomber des gouttes d'eau à intervalles réguliers sur le feuillage des plantes. Au début, les feuilles se rétractaient aussitôt à chaque goutte, mais, au bout de quelque temps, les arbustes avaient compris qu'ils n'avaient rien à craindre de l'eau et les feuilles, en dépit des gouttes, restaient ouvertes. Plus surprenant encore, Monica Gagliano constata que des semaines plus tard et sans avoir été soumises à d'autres tests, les sensitives avaient toujours la leçon « en mémoire »[12]. Dommage que l'on ne puisse pas transporter des hêtres ou des chênes entiers en laboratoire pour explorer plus avant cette piste de l'apprentissage. Il existe tout de même des études *in situ* sur les arbres, notamment en matière d'accès à l'eau ; outre une modification de comportement, elles ont mis en lumière un autre phénomène extraordinaire : en cas de soif intense, les arbres commencent à crier. Cependant vous n'entendrez rien, car ces cris sont des ultrasons que l'oreille humaine ne perçoit pas. Pour les chercheurs de l'Institut fédéral suisse de recherches sur la forêt, la neige et le paysage (WSL) qui ont capté les sons, les vibrations sont induites par la rupture du flux d'eau qui circule à l'intérieur de l'arbre entre les racines et les feuilles. Il s'agirait donc d'un phénomène purement mécanique sans signification particulière[13]. Et s'ils se trompaient ? La seule certitude concerne la façon dont les sons sont générés ; or que savons-nous de la façon dont les humains émettent des sons ? Un flux d'air provenant de la trachée-artère fait vibrer les cordes vocales. Rien de plus, rien d'autre. Les résultats de l'étude concernant les sons émis par les racines m'incitent à penser que ces vibrations pourraient être plus que de simples réactions mécaniques ; elles seraient des cris de soif. Ou bien des cris destinés à alerter le voisinage de l'imminence d'une pénurie d'eau.

Échange de bons procédés

LES ARBRES ONT BEAU AVOIR UN GRAND SENS de la communauté et de l'entraide, cela ne suffit pas à garantir la
pérennité d'une espèce au sein d'un écosystème forestier.
Chacune tente en effet de gagner de la place, d'optimiser
ses performances, et ainsi de refouler les autres espèces.
Outre l'accès à la lumière, c'est le combat pour l'eau qui
va au final décider de l'issue de la compétition. Les arbres
sont très performants dans l'exploitation des ressources
hydriques des sols. Leurs racines et leurs radicelles sont
garnies de poils absorbants qui démultiplient la surface
en contact avec la terre et permettent ainsi d'aspirer un
maximum d'eau. En temps normal, cela suffit à combler
les besoins, mais deux précautions valent mieux qu'une.
Cela fait des millions d'années que les arbres, prudents,
se sont associés aux champignons. Les champignons sont
de curieux organismes. Ils échappent à notre division
usuelle du monde vivant en règne animal et règne végétal.
Les végétaux, c'est l'une de leurs caractéristiques essen-
tielles, produisent eux-mêmes leur nourriture à partir de
matière inanimée ; ils sont donc totalement autonomes.
Les animaux, eux, sont contraints de se nourrir d'autres

organismes vivants pour survivre. Des végétaux chlorophylliens doivent ainsi s'implanter dans un sol nu et pauvre avant que des animaux puissent y prospérer. Précisons tout de même qu'être broutés par des vaches ou des chevreuils ne plaît ni à l'herbe ni aux jeunes arbustes. La plantule de chêne engloutie par un cerf souffre et meurt, comme souffre et meurt le sanglier égorgé par un loup. Mais revenons aux champignons : ils se situent quelque part entre les deux règnes. Leurs parois cellulaires sont constituées de chitine, une substance que l'on ne trouve jamais chez les végétaux et qui les apparenterait plutôt aux insectes. Au surplus, ne réalisant pas la photosynthèse, ils sont, comme les animaux, tributaires des composés organiques produits par les organismes vivants dont ils peuvent se nourrir. Le réseau cotonneux de filaments souterrains qui constituent leur appareil végétatif, le mycélium, ne cesse de s'étendre au fil des années. En Suisse, une armillaire âgée d'environ 1 000 ans et dont le mycélium couvre 50 hectares a été découverte[14]. Une autre, dans l'État américain de l'Oregon, présente une superficie de 900 hectares et pèse 600 tonnes pour un âge estimé à 2 400 ans[15]. Les champignons sont ainsi les plus grands organismes vivants connus. Ces géants sont toutefois des ennemis des arbres, car leur appétit effréné de tissus comestibles conduit inévitablement à la mort de l'arbre hôte. Intéressons-nous plutôt aux associations champignons-arbres pacifiques. Avec le concours du mycélium d'une espèce qui lui est spécialement adaptée, comme celui du lactaire tranquille pour le chêne, un arbre peut démultiplier la surface utile de ses racines, et donc pomper plus d'eau et de nutriments. On observe deux fois plus d'azote et de phosphore dans les plantes associées à un champignon partenaire que dans celles qui n'ont que leurs seules racines pour capter les ressources du sol. Pour former une association avec une espèce parmi les plus de mille existantes, il faut que l'arbre soit très ouvert. Au sens figuré comme au sens propre, car les hyphes du mycélium se développent à l'intérieur même des fines radicelles. J'ignore si cela est douloureux ou pas, je n'ai pas connaissance d'études sur le sujet, mais attendu que l'arbre est demandeur, je présume que les sensations sont plutôt positives. Quoi qu'il en soit, à partir de là, les deux partenaires coopèrent. Le champignon non seulement pénètre et enveloppe les racines, mais il développe son réseau de filaments dans le sol alentour. Il s'étend bien au-delà des racines de son hôte pour se mêler aux racines des autres arbres et il se connecte avec les champignons partenaires et les racines de chaque nouvel arbre rencontré. Il en résulte un vaste réseau au sein duquel les échanges aussi bien de nutriments que d'informations, par exemple sur l'imminence d'une attaque d'insectes, vont bon train. Les champignons sont en quelque sorte l'Internet de la forêt. Un maillage d'une telle efficacité a son prix. Nous savons que ces organismes vivants, qui en de nombreux points ressemblent aux animaux, dépendent des substances nutritives fournies par d'autres espèces et doivent puiser dans leur environnement pour s'alimenter. Sans apport de nourriture, ils mourraient tout simplement de faim. Ils exigent donc, en échange de leurs services, que leur arbre partenaire les rétribue sous forme de sucre et de glucides. Et question quantité, ils ne font pas dans la demi-mesure. Réclamer jusqu'à un tiers de la production ne les effraie pas[16]! Cette relation de dépendance est vitale, il est donc compréhensible que les champignons ne laissent rien au hasard. Les réseaux ultrafins qui colonisent les racines commencent donc, si l'on peut dire, par observer les pointes des racines à la loupe, histoire de découvrir ce que les extensions souterraines de l'arbre révèlent. S'ils peuvent en tirer avantage, les champignons produisent alors des hormones végétales qui vont réguler la croissance cellulaire de l'arbre dans un sens qui comble leurs intérêts[17]. À cette prestation de base, s'ajoute le filtrage gracieux des métaux lourds. Nocifs pour les racines, ils sont peu dommageables pour les champignons. Les polluants exsudés réapparaissent chaque automne dans de belles fructifications, parmi lesquelles les cèpes et bolets que nous apprécions tant. Cette dernière spécificité explique que le césium 137 qui contamine les sols depuis la catastrophe nucléaire de Tchernobyl, en 1986, se retrouve principalement dans les champignons.

L'offre globale comprend également une prestation prophylactique. Le mycélium repousse toutes les tentatives d'intrusion aussi bien de bactéries que de champignons parasites. Tant que rien ne les perturbe, les champignons peuvent vivre plusieurs centaines d'années au pied de leur arbre. Mais si leurs conditions environnementales se modifient, si des polluants atmosphériques viennent empoisonner l'air, ils meurent. Leurs partenaires arbres ne les pleurent pas longtemps : ils misent sans état d'âme sur une autre espèce et un nouvel attelage démarre. Un arbre dispose de plusieurs options de champignons partenaires ; ce n'est que lorsque la dernière disparaît que le vent tourne vraiment pour lui. Les champignons sont plus sélectifs. De nombreuses espèces cherchent elles-mêmes l'arbre qui leur convient, puis une fois leur dévolu jeté sur un individu, elles s'y associent à la vie à la mort. Ces espèces, qui n'aiment par exemple que les bouleaux ou les mélèzes, sont dites « spécialistes » d'un hôte. D'autres, comme les girolles, s'accommodent aussi bien de chênes que de hêtres ou d'épicéas. Tout leur

66

va pourvu qu'elles trouvent une petite place sous terre pour s'installer. Et la concurrence est rude : rien que dans les forêts de chênes, on peut observer plus de cent espèces différentes associées aux racines d'un même arbre. Pour le chêne, c'est tout bénéfice, car si une modification des conditions environnementales entraîne la disparition d'un champignon, aussitôt un nouveau postulant se présente qui tente sa chance. Des scientifiques ont toutefois découvert que les champignons ne vivent pas non plus sans aucune protection. Les réseaux filamenteux se mêlent tous entre eux, ils ne s'associent pas uniquement entre réseaux d'une même espèce d'arbres. Le carbone radioactif inoculé à un bouleau a ainsi voyagé par le sol et les ramifications fongiques jusqu'à un douglas voisin. Autant de nombreuses espèces d'arbres semblent à couteaux tirés quand il s'agit de défendre leur espace vital, sur terre et sous terre, contre les velléités d'expansion d'espèces ennemies, autant les champignons semblent mesurés. Nous ne savons pas s'ils cherchent réellement à soutenir des arbres-hôtes étrangers ou seulement à prêter main-forte à des congénères champignons en difficulté (qui feront ensuite bénéficier leur hôte de l'aide reçue). Je soupçonne les champignons de «penser» un peu plus loin que leurs partenaires arbres qui n'ont de cesse de ferrailler les uns contre les autres. Imaginons que les hêtres de nos forêts remportent toutes les batailles et terminent seuls vainqueurs, serait-ce réellement une bonne chose ? Que se passerait-il si un nouvel agent pathogène s'abattait sur l'espèce et fauchait les arbres les uns après les autres ? Ne serait-il pas préférable qu'il y ait partage du territoire avec une proportion donnée d'autres espèces ? Des chênes, des érables, des frênes ou des sapins qui continueraient de prospérer et fourniraient l'ombre nécessaire à la germination et au développement d'une nouvelle génération de hêtres.

La diversité est une assurance de pérennité, et comme les champignons sont de leur côté dépendants de la stabilité de leur environnement, si les appétits hégémoniques d'une espèce mettent cette dernière en péril, ils rééquilibrent les forces en aidant les plus faibles afin de les préserver d'une disparition totale.

Si le partenariat champignon-arbre traverse une passe difficile, le champignon peut prendre des mesures radicales. Le clitocybe laqué bicolore (*Laccaria bicolor*), qui vit en symbiose avec le pin de Weymouth, emploie les grands moyens. Quand l'azote vient à manquer, il émet une substance toxique qui provoque la mort des minuscules animaux qui vivent dans le sol, parmi lesquels des collemboles, dont les cadavres, en se décomposant, libèrent de l'azote et les transforment ainsi, malgré eux, en engrais pour l'arbre et le champignon[18].

Je vous ai présenté les auxiliaires des arbres les plus importants, mais il en existe de nombreux autres : les pics, par exemple. À vrai dire, les pics ne sont pas de véritables auxiliaires des arbres, mais ils leur rendent parfois de précieux services. Ainsi, quand des scolytes attaquent un épicéa, tous les clignotants passent au rouge. Les petits coléoptères se reproduisent à une vitesse telle qu'ils sont capables de tuer un individu en un temps record en dévorant le cambium, un tissu interne aussi vital que fragile, qu'ils atteignent après avoir foré l'écorce. Dès qu'un pic épeiche a vent de l'invasion, il arrive à tire d'ailes. À l'instar du pique-bœuf sur le dos d'un rhinocéros, il monte et descend le long du tronc à la recherche des larves blanches dont il est friand. Pour les extraire, il martèle à coups de bec l'écorce qui vole en éclats autour de lui. La procédure n'est pas très agréable pour l'épicéa, mais elle permet parfois de contenir l'invasion. Et même si l'arbre ne survit pas, ses congénères, eux, seront épargnés car aucun insecte apte au vol n'éclora plus. Mais ne nous y trompons pas, le pic ne se sent aucunement concerné par le bien-être des arbres, il suffit pour s'en convaincre d'observer les cavités qu'il creuse dans le bois pour héberger ses nichées. Et il n'hésite pas à s'installer dans le tronc d'individus parfaitement sains auxquels il inflige de graves blessures. Alors oui, le pic débarrasse de nombreux arbres de leurs parasites, par exemple les chênes des larves de buprestes, ou les épicéas des scolytes, mais il s'agit en quelque sorte d'avantages collatéraux fortuitement induits. En période de sécheresse, les buprestes sont un vrai risque pour les arbres en situation de stress hydrique, car ceux-ci ne sont plus en mesure de résister aux assaillants. Le salut peut venir du pyrochre écarlate, un coléoptère aux élytres d'un beau rouge qui, lorsqu'il est adulte, se nourrit de sève et du miellat sécrété par les pucerons. Mais sa descendance, qui elle est carnassière, trouve la chair nécessaire à son alimentation dans les larves d'insectes qui vivent sous l'écorce des feuillus, comme les buprestes. Plus d'un chêne doit donc sa survie au pyrochre écarlate, toutefois l'histoire ne finit pas toujours bien pour ce dernier. En cas de pénurie alimentaire, une fois que tous les rejetons d'insectes étrangers ont été dévorés, ses larves, cannibales à l'occasion, s'attaquent à leurs congénères.

Histoires d'eau

COMMENT L'EAU CONTENUE DANS LE SOL PARVIENT-ELLE à monter jusqu'aux feuilles ? Cette question est pour moi emblématique de l'état actuel des connaissances sur les arbres. Le transport de l'eau est un mécanisme relativement simple à analyser, en tout cas plus simple que l'exploration de la sensibilité à la douleur ou l'aptitude à communiquer. Il paraît si banal que cela fait des décennies que l'enseignement universitaire propose des explications remarquablement simples et triviales. Cela m'amuse toujours d'aborder le sujet avec des étudiants. Leurs réponses, sans surprise, évoquent les phénomènes de capillarité et de transpiration. La capillarité, vous pouvez l'observer tous les matins au petit déjeuner. C'est elle qui fait monter le niveau du café de quelques millimètres sur le bord de la tasse. Sans ce phénomène, la surface du liquide serait parfaitement plane. Plus le contenant est étroit, plus le liquide qu'il contient peut monter. Et les vaisseaux des feuillus sont très fins : leur section ne dépasse pas 0,5 millimètre. Les conifères font encore mieux dans la finesse avec une section de seulement 0,02 millimètre. Pour autant, cela ne suffit pas, tant s'en faut, à expliquer comment l'eau parvient au houppier d'arbres mesurant plus de 100 mètres de hauteur, car, même dans les tubes les plus fins, la capillarité permet tout au plus de monter d'un mètre[19]. Mais une autre candidate entre en jeu : la transpiration. Pendant les mois d'été, les feuilles et les aiguilles évaporent d'abondantes quantités d'eau par transpiration, jusqu'à plusieurs centaines de litres par jour pour un hêtre adulte. Il résulte du mécanisme un effet d'aspiration qui tracte vers le haut l'eau circulant dans les vaisseaux. Il est vrai que cela ne marche que si la colonne d'eau est intacte. Les molécules d'eau s'agrègent les unes aux autres par effet de cohésion et, ainsi accrochées à la queue leu leu, se déplacent progressivement vers le haut à mesure que l'évaporation libère de l'espace dans la feuille. Mais cela ne suffit pas, il faut encore que l'osmose, à son tour, entre en jeu. Quand la concentration en sucre d'une des cellules est plus élevée que dans ses voisines, l'eau passe à travers les parois de la cellule où elle est la moins concentrée vers la cellule où elle l'est le plus jusqu'à ce que la teneur en sucre s'équilibre parfaitement entre les deux. Si le mécanisme se poursuit de cellule en cellule jusqu'au houppier, l'eau finit par atteindre les feuilles. Hum, pas sûr, mais continuons. C'est au printemps, juste avant le débourrement, que l'on enregistre les tensions les plus fortes sur les colonnes d'eau. À cette époque, l'eau circule avec une telle intensité dans l'arbre que l'on peut l'entendre en posant un stéthoscope sur le tronc. La méthode est utilisée pour la récolte de l'eau d'érable dans les États du nord-est de l'Amérique du Nord. Cette très convoitée eau d'érable, qui deviendra sirop par évaporation, se collecte uniquement au moment de la fonte des neiges. Les feuillus ne portant pas encore de feuilles en cette saison, ils n'évaporent pas d'eau. La transpiration est donc exclue comme force motrice. La capillarité, nous l'avons vu, ne permettant pas de gagner plus d'un mètre, le mécanisme est négligeable. Pourtant, le tronc est bel et bien gorgé d'eau. Reste l'osmose, mais je suis dubitatif. Elle ne concerne que les racines et les feuilles, pas le tronc qui n'est pas constitué d'une liaison de cellules mais de longs conduits qui parcourent toute sa hauteur. Alors quoi ? Alors, nous sommes devant une énigme. Les travaux les plus récents ont toutefois mis en évidence quelque chose qui remet en question les rôles de la transpiration et de la cohésion cellulaire. Des chercheurs de l'université de Bern, du WSL et de l'École polytechnique fédérale (ETH) de Zurich ont exploré le phénomène acoustique, notamment de nuit. Et ils ont constaté que les arbres qu'ils auscultaient émettaient un léger murmure. La nuit, les troncs contiennent un maximum d'eau, car la photosynthèse est temporairement en pause et le houppier transpire à peine. Les arbres en profitent pour se gorger d'eau, au point que cela entraîne un léger accroissement du diamètre des troncs. À l'intérieur des vaisseaux, l'eau est quasiment à l'arrêt, rien ne circule. D'où proviennent donc les bruits ? Les chercheurs supposent qu'ils sont générés par la formation de minuscules bulles de CO_2 dans les fins tubes remplis d'eau[20]. Des bulles dans les vaisseaux ? Cela signifie que le flux d'eau qui les emprunte est interrompu des milliers de fois… et par voie de conséquence que la transpiration, la cohésion et la capillarité ne contribuent guère au transport. Les questions sans réponses se bousculent. Une explication plausible s'évanouit, mais sommes-nous vraiment perdants ? Ce nouveau mystère n'a-t-il pas quelque chose de stimulant ?

Montre-moi ton écorce,
je te dirai ton âge

Avant de commencer à parler d'âge, autorisez-moi une petite digression sur la peau. Arbres et peau? Abordons tout d'abord le sujet par ce que nous connaissons de la peau humaine. Notre peau est une barrière qui protège notre organisme des agressions extérieures, qui retient les fluides, qui contient nos intestins et en même temps assure des échanges gazeux et liquides. De surcroît, elle nous préserve avec efficacité des multiples germes pathogènes qui ne coloniseraient que trop volontiers notre système sanguin. Elle présente une grande sensibilité au toucher; les stimuli agréables éveillent un désir de répétition, les douloureux entraînent une réaction de défense. Manque de chance, cet organe complexe subit comme d'autres les outrages du temps. Il perd de son éclat et de sa réactivité, des plis et des rides s'installent qui, à quelques années près, révèlent notre âge avec une cruelle précision.

Quant au nécessaire processus de régénération, il n'est pas très réjouissant: nous perdons chaque jour 1,5 gramme de squames, soit plus de 500 grammes par an. En termes de particules éliminées, les chiffres sont encore plus impressionnants : 10 milliards de particules tombent chaque jour de notre corps[21]. Tout cela n'est pas très appétissant, mais indispensable à la bonne forme de cette grande surface d'échanges. Ce processus est aussi celui qui permet à l'enveloppe dont la nature nous a dotés de grandir en même temps que notre corps sans craquer de tous les côtés.

Maintenant, qu'en est-il des arbres ? Leur enveloppe est en tous points similaire à la nôtre, à une différence de vocabulaire près : la peau des hêtres, des chênes, des épicéas et des pins est appelée écorce. Pour le reste, elle remplit exactement les mêmes fonctions et protège pareillement les fragiles organes internes de l'arbre des agressions extérieures. Sans écorce, un arbre se dessécherait et serait très vulnérable aux invasions de champignons qui pourraient confortablement s'installer et prospérer, alors qu'ils n'ont aucune chance dans un bois sain correctement hydraté. La prolifération des insectes dépend elle aussi d'une baisse de l'humidité, mais sans failles dans l'écorce, toute tentative d'intrusion est vouée à l'échec. Un arbre est constitué à peu de chose près du même pourcentage d'eau qu'un corps humain ; en condition normale, il n'intéresse pas les parasites qui ne peuvent s'y développer faute d'oxygène. Un trou dans l'écorce est pour un arbre au moins aussi désagréable qu'une lésion de la peau pour nous, et il va utiliser des mécanismes similaires aux nôtres pour s'en prémunir. Un sujet en pleine croissance gagne 1,50 à 3 centimètres de diamètre par an. En toute logique, son écorce devrait craquer sur toute sa surface. Oui, devrait. Pour ne pas en arriver là, les arbres éliminent eux aussi une quantité phénoménale de squames d'écorce pour renouveler leur enveloppe. Les squames peuvent mesurer jusqu'à 20 centimètres, une taille importante en corrélation avec la stature de l'arbre. Observez le sol au pied des arbres par temps de grand vent et de pluie.

Il est jonché de lamelles d'écorce ; celles des pins, épaisses et rougeâtres sont très reconnaissables.

Tous les arbres ne desquament pas de la même façon. Certains s'exfolient en permanence (leurs pendants humains se verraient prescrire un bon shampooing antipelliculaire) quand d'autres se dégarnissent avec la plus grande parcimonie. Le liège est un bon indicateur du mode opératoire. Il s'agit de la couche externe de l'écorce, constituée de cellules déjà mortes, qui forme une cuirasse protectrice autour du tronc. Le liège permet également de distinguer les espèces. Si tant est que les individus accusent déjà un âge avancé, car l'indice se base sur l'aspect des fissures, ce qui en quelque sorte correspond à nos rides, plis et autres marques du temps. Chez les sujets jeunes, à quelque espèce qu'ils appartiennent, le liège est lisse comme une peau de bébé. À mesure qu'ils avancent en âge, des fissures apparaissent (les premières à la base du tronc), dont la profondeur s'accentue au fil des années. La vitesse du processus dépend de l'espèce. Pins, chênes, bouleaux ou douglas commencent de bonne heure, hêtres et sapins blancs restent très longtemps lisses. La raison tient à la vitesse d'exfoliation. Chez les hêtres, dont l'écorce gris argenté demeure lisse jusqu'à l'âge de 200 ans, le taux de renouvellement est très élevé. Il en résulte que leur enveloppe reste fine et s'adapte parfaitement à leur âge, en l'occurrence à leur circonférence, et n'a pas besoin de se fissurer pour s'étirer. Le sapin blanc procède de même. En revanche, pour ce qui est du ravalement de surface, pins et consorts lambinent. Peut-être repugnent-ils à se séparer du superflu, peut-être est-ce aussi une façon de s'assurer un surcroît de protection. Quoi qu'il en soit, ils s'exfolient si lentement qu'un liège beaucoup plus épais se forme, dont les couches supérieures accusent parfois plusieurs décennies. Elles datent ainsi d'une époque où les arbres étaient encore jeunes et frêles. Avec l'âge et l'accroissement de leur circonférence, ces couches supérieures se fissurent jusqu'à la couche la plus récente pour s'adapter, comme chez le hêtre, aux dernières dimensions du périmètre. Il apparaît ainsi que plus les crevasses sont profondes, plus l'espèce est lente. En avançant en âge, le phénomène prend une nouvelle ampleur. Dès qu'ils franchissent le cap des 200 ans, la base des hêtres commence elle aussi à se fissurer. Et histoire d'informer toute la forêt, des mousses entreprennent de coloniser les fissures. L'humidité due aux précipitations y persiste plus longtemps qu'ailleurs et fournit l'eau nécessaire à leur alimentation. Leur présence, visible de loin, permet d'évaluer l'âge d'une hêtraie : plus la végétation s'élève sur le tronc, plus l'arbre est vieux.

Chaque arbre est unique et la formation des fissures est une question de tempérament. Des sujets jeunes peuvent être plus ridés que leurs jumeaux de même espèce. À 100 ans, certains hêtres de mon district sont déjà couverts de rugosités du haut jusqu'en bas, alors que cette évolution du liège ne devrait intervenir que vers 250 ans. En l'état actuel de nos connaissances, nous ne savons pas si le phénomène est d'origine génétique ou lié à une modification excessive des conditions environnementales. Toujours est-il que certains facteurs présentent de fortes ressemblances avec ce que nous vivons. Les pins de mon jardin sont particulièrement crevassés. L'âge ne peut pas être seul en cause, car avec leur petite centaine d'années, ils sont tout juste adultes. Depuis 1934, ils bénéficient d'un ensoleillement important. Cela correspond à l'année de construction de la maison forestière. À l'époque, une partie du terrain dut être défrichée, ce qui s'est traduit par un surplus de lumière pour les pins subsistants. Un surplus de lumière, de soleil et de rayonnement ultraviolet. Chez l'homme, le rayonnement ultraviolet accélère le vieillissement de la peau et, apparemment, chez l'arbre aussi. Du côté exposé au soleil, le liège est en outre sensiblement plus dur, donc moins souple et par voie de conséquence, plus sujet aux fissures.

Toutes ces modifications du liège peuvent néanmoins être aussi imputées à des «affections de la peau». De même que l'acné juvénile peut laisser à vie des cicatrices sur la peau, une invasion de lachnidés peut définitivement léser la surface de l'écorce. Ce ne sont pas des fissures qui apparaissent, mais des milliers de petits cratères et micropustules qui ne s'effaceront jamais. Chez les individus souffreteux, ils vont se transformer en plaies humides et suppurantes bientôt colonisées par des bactéries qui donnent une teinte noire aux coulures. Il n'y a pas que chez l'homme que la peau est le reflet de l'état de santé (et peut-être aussi de l'âme).

Les vieux arbres peuvent assurer une fonction particulière d'une grande utilité à l'écosystème forestier. Il n'existe plus de forêts ancestrales dans le centre de l'Europe; l'âge du massif de grande taille le plus ancien oscille entre 200 et 300 ans. Plutôt que d'attendre que ces peuplements redeviennent forêt vierge, pour comprendre le rôle que peuvent jouer des arbres vraiment vieux, il faut que nous nous transportions sur la côte ouest du Canada. C'est là que Zoë Lindo, une biologiste de l'université McGill de Montréal, a mené une étude sur des épicéas de Sitka âgés d'au moins 500 ans. Les rameaux et les enfourchures des branches de ces vénérables sujets portent d'importantes quantités de mousses. Les coussinets végétaux sont colonisés par des cyanobactéries, communément appelées algues bleues, qui ont la propriété de fixer l'azote atmosphérique et de le transformer en azote minéral assimilable par les arbres, un fertilisant naturel que la pluie lessive et met ainsi à la disposition des racines. Les vieux arbres contribuent donc à nourrir et à fertiliser le sol de la forêt, et aident ainsi leur progéniture à bien démarrer. Les mousses mettant des décennies à s'implanter et à se développer, jamais les jeunes individus ne pourraient bénéficier de cet apport sans le concours de leurs aînés[22].

Outre l'aspect de l'écorce et la présence de mousses, d'autres modifications corporelles nous renseignent sur l'âge des arbres. Le houppier, par exemple, qui présente des analogies certaines avec le chef de votre serviteur. Sur le haut de mon crâne, les cheveux commencent à se faire rares, ils ne poussent plus comme au temps de ma jeunesse. Il n'en va pas autrement des branches les plus hautes de la couronne. À partir d'un certain âge, selon les espèces, entre 100 et 300 ans, les pousses annuelles deviennent toujours plus courtes. Chez les feuillus, la succession de ces pousses raccourcies induit la formation de branches crochues comme des doigts déformés par les rhumatismes. Chez les conifères, la flèche s'arrête sur une pousse apicale qui finit par afficher une croissance zéro. Si les épicéas en restent là, le haut du houppier des sapins blancs poursuit sa croissance en largeur au point qu'il en vient à ressembler au nid d'un grand oiseau, un phénomène que les spécialistes nomment en conséquence «cime en nid de cigogne». Quant au pin, il modifie si tôt sa croissance qu'avec l'âge l'ensemble de sa couronne présente une forme étalée sans flèche apparente. Quelle que soit la forme que prend le phénomène, tous les arbres cessent progressivement de croître en hauteur. Un jour arrive où propulser l'eau et les éléments nutritifs toujours plus haut solliciterait leur système vasculaire au-delà de ses capacités. En compensation, ils optent pour une croissance en largeur et deviennent ainsi de plus en plus gros en vieillissant (autre phénomène que nous sommes nombreux à partager avec les arbres…). Ce nouvel état est limité dans le temps, car au fil des années leurs forces vont lentement décliner. Les branches supérieures du houppier, qu'ils ne parviennent plus à alimenter, meurent. Dès lors, à l'instar des humains qui rapetissent inexorablement, leur taille va peu à peu diminuer. La première tempête qui survient nettoie le houppier de ses rameaux morts, un coup de balai qui a pour effet de rafraîchir temporairement la silhouette. Le processus se répète, et chaque année le houppier perd imperceptiblement en ampleur. Quand tous les rameaux du haut ont été balayés, il reste les branches maîtresses. Elles aussi meurent, mais elles ne tombent pas si facilement que cela. Désormais, l'arbre ne peut plus cacher ni son grand âge ni son dépérissement.

C'est le moment que choisit l'écorce pour refaire son entrée en jeu. Les petites plaies suintantes ont offert autant de portes ouvertes aux champignons. Ils signalent leur avancée victorieuse par de superbes fructifications en forme de demi-soucoupes qui adhèrent au tronc et grossissent d'année en année. À l'intérieur, ils franchissent toutes les barrières et pénètrent jusqu'au duramen, le «bois parfait», au cœur du tronc. Selon les espèces, ils y dévorent les glucides qui y sont stockés ou, pire encore, la cellulose et la lignine. Ce faisant, ils décomposent et pulvérisent le squelette de l'arbre qui se défend néanmoins vaillamment pendant encore plusieurs décennies. De part et d'autre de la blessure qui ne cesse de grandir, du nouveau bois se forme qui évolue en épais bourrelets destinés à renforcer sa structure. Cela permet au corps en décomposition de résister encore un temps aux assauts des tempêtes hivernales. Puis un jour, c'est la fin : le tronc se brise et l'arbre rend son dernier souffle. C'est tout juste si l'on n'entend pas le «enfin ! » de la jeune garde qui attendait son tour et ne va mettre guère d'années à se développer en hauteur et dépasser le vieux tronc pourri. Tout ne s'arrête pas là ; le grand cadavre en décomposition va encore contribuer à l'écosystème pendant très longtemps. Mais nous en reparlerons plus tard.

Chêne *vs* hêtre

EN FORÊT, DANS MON DISTRICT COMME AILLEURS, les chênes
en souffrance, voire en très grande souffrance pour certains,
sont nombreux. Le signe qui ne trompe pas, ce sont les
gourmands qui poussent sur les troncs, ces petits rameaux
qui pointent sur le pourtour puis souvent se dessèchent
et tombent. Ils sont la preuve que l'arbre se bat depuis
longtemps contre la mort et commence à paniquer. Cette
tentative de former des feuilles aussi bas est déraison-
nable. Le chêne est une essence héliophile (du grec *hélios*
«soleil»); cela veut dire qu'elle a besoin de beaucoup
de lumière pour réaliser la photosynthèse. Installer des
panneaux solaires, en d'autres mots, des feuilles, dans
la pénombre des étages inférieurs ne produit rien de bon
et l'équipement superflu est vite démantelé. Un arbre en
bonne santé ne va jamais s'aventurer à dépenser de l'énergie dans la fabrication de gourmands, il va se consacrer
tout entier à croître en hauteur. Tout au moins tant qu'on
le laisse tranquille. Or les chênes de nos forêts tempérées ont la vie dure, car celles-ci sont l'habitat de prédilection des hêtres. Ces derniers ont certes la fibre sociale
développée, mais uniquement envers leurs congénères.

Les étrangers font l'objet de tourments constants visant à les faire reculer. Cela commence sans hâte et innocemment par l'enfouissement d'une faîne au pied d'un robuste chêne par un geai qui passait par là. Comme l'oiseau s'est constitué d'autres réserves, il ne reviendra pas sur celle-ci, et le printemps suivant, la faîne germe. Des dizaines d'années durant, lentement, en silence et en toute discrétion, elle pousse. Sa mère manque à l'arbuste mais le grand chêne, au moins, l'abrite de son ombre et permet ainsi à l'enfant-hêtre de grandir lentement et sans soucis de santé. En surface, l'harmonie semble régner mais sous terre, ce sont en réalité les débuts d'une lutte à mort. Les racines du hêtre s'insinuent dans le moindre espace que le chêne n'occupe pas. Il s'étend ainsi sous le vieux tronc et lui subtilise l'eau et les nutriments que le chêne s'était mis de côté, provoquant insidieusement son affaiblissement. Au bout de 150 ans, le petit arbre a pris une telle ampleur qu'il envahit lentement le houppier du chêne. Quelques décennies plus tard, il le dépasse, car à la différence de ses concurrents, il peut développer son houppier et continuer de croître presque toute sa vie durant. Les feuilles du hêtre bénéficient dès lors d'un ensoleillement direct qui décuple sa capacité de photosynthèse et, de ce fait, l'énergie disponible pour occuper l'espace. Il développe un magnifique houppier qui, conformément aux caractéristiques de son espèce, capte 97 % de la lumière. Le chêne redescend d'un cran, rabaissé au deuxième étage où ses feuilles cherchent vainement à happer quelques rayons. La production de sucre chute, les réserves s'épuisent, l'arbre commence à dépérir. Il se rend compte qu'il ne fait pas le poids face à son concurrent, qu'il ne parviendra plus à former les belles pousses vigoureuses qui lui permettraient de repasser au-dessus du hêtre. Dans sa détresse, peut-être aussi dans un accès de panique, il fait une chose contraire à toutes

les règles : il développe de nouveaux rameaux positionnés très bas sur le tronc. Les feuilles de ces gourmands,
particulièrement grandes et tendres, parviennent à s'en
sortir avec moins de lumière que celles du houppier. Il
n'empêche, 3 %, ce n'est vraiment pas suffisant, le chêne
n'est pas un hêtre. Les gourmands vont rapidement mourir
d'inanition et le précieux quota d'énergie restant se sera
évanoui dans la nature. Cet état de sous-alimentation
chronique n'est pas immédiatement mortel ; le chêne peut
encore subsister quelques dizaines d'années, mais, tôt ou
tard, il jette l'éponge. Ses forces l'abandonnent, la fin est
lente. Parfois, la délivrance vient du bupreste qui pond ses
œufs sur son écorce. Les jeunes larves affamées dévorent
l'enveloppe du vieux chêne vulnérable... et l'affaire est
expédiée.

Est-ce à dire que le chêne est un chétif ? Comment un
arbre aussi fragile a-t-il pu devenir un symbole de résistance et de longévité ? Autant l'espèce peut paraître inférieure au hêtre dans la plupart des forêts, autant elle est
forte et solide quand elle n'a pas de concurrence. En milieu
ouvert, par exemple, dans nos campagnes : tandis que sorti
de l'environnement douillet de sa forêt, le hêtre parvient à
peine à atteindre 200 ans, planté près d'une vieille ferme ou
dans une prairie, un chêne va facilement dépasser 500 ans.
Une vilaine blessure, un tronc balafré par la foudre ? Le
chêne sourcille à peine, car son bois est imprégné de substances fongicides qui ralentissent fortement le processus de
pourriture. Il produit en outre des tanins qui repoussent les
insectes et, tout à fait accessoirement et sans qu'il y soit
pour grand-chose, donnent aussi ce goût particulier au vin
qui sera élevé dans des barriques faites avec son bois. Même
des individus très abîmés, avec des charpentières* brisées,

---

* Toute grosse branche formant l'ossature du houppier.

ont la faculté de développer un houppier de remplacement et de vivre encore plusieurs siècles. La plupart des hêtres en seraient bien incapables, *a fortiori* hors d'une forêt, privés de la sollicitude de leur chère famille. Qu'une rafale vienne endommager leur beau houppier et il ne leur reste guère plus que quelques décennies à vivre.

Dans mon district aussi, de très solides chênes prouvent de quel bois ils sont faits. Un bon nombre d'individus poussent sur un versant sud où leurs racines s'accrochent dans la roche affleurante. En été, quand le soleil chauffe les pierres à blanc, les derniers restes d'humidité s'évaporent. En hiver, faute d'une couche de terre protectrice, le gel pénètre en profondeur. Aucun matelas de feuilles en décomposition ne se transforme en humus, le moindre vent les balaye au bas de la pente. Seuls quelques maigres lichens colonisent le milieu, mais leur effet isolant est négligeable. Résultat : au bout d'un siècle, les arbres, ou plutôt les arbustes, sont gros comme le bras et mesurent à peine 5 mètres de hauteur. Là où leurs congénères du confortable microclimat forestier dépassent déjà les 30 mètres et campent sur de robustes troncs, ces ascètes persévèrent à braver l'adversité et se satisfont de leur humble stature. Mais ils survivent ! L'intérêt de cette pénurie d'alimentation est que les autres espèces ont depuis longtemps déserté la place. Quand la contrepartie est la fin de tout souci de concurrence, reconnaissons qu'une vie de privations a aussi ses avantages.

L'écorce rugueuse et épaisse du chêne est par ailleurs beaucoup plus résistante que celle lisse et mince du hêtre, et elle offre une bien meilleure protection contre l'extérieur. Peu d'ennemis, grands ou petits, lui font peur.

Chacun sa place

LES ARBRES PEUVENT POUSSER DANS DES SITUATIONS TRÈS défavorables. Peuvent? Ils n'ont guère le choix! La graine qui tombe d'un arbre n'est jamais sûre que le vent ou un animal ne la transportera pas ailleurs. Et une fois qu'elle a germé, bien souvent dès le printemps suivant, les dés sont jetés: la jeune pousse est liée à vie au microlopin de terre que le hasard lui a attribué et force lui est de s'en accommoder. Pour une majorité de petits, la tâche est rude car il est rare que le sort soit très heureux. Soit le milieu est trop sombre, par exemple quand une espèce avide de lumière comme le merisier germe sous un grand hêtre, soit il est trop lumineux, cette fois pour les enfants-hêtres dont le tendre feuillage ne supporte pas le soleil direct d'un espace découvert. Les sols marécageux font pourrir les racines de la plupart des espèces, tandis qu'un sol sableux et sec les condamne à mourir de soif. Les milieux les plus défavorables sont ceux totalement dépourvus de substrat nutritif, comme les rochers ou les fourches de branches de grands arbres. Parfois, la chance est de courte durée. Ainsi lorsque des graines atterrissent sur la haute souche d'un arbre brisé. Elles germent et donnent naissance à des petits arbres dont les racines se développent dans le bois en décomposition. S'ils ont survécu jusque-là, au premier été sec, quand toute humidité aura déserté même le bois mort, ces chanceux-là aussi dépériront. Ils étaient nombreux à se faire la même idée du lieu de vie idéal. La plupart des espèces d'arbres européennes partagent en effet des critères de bien-être identiques. Elles aiment les sols riches en nutriments, souples et aérés jusqu'à plusieurs mètres de profondeur ; le substrat doit présenter une humidité équilibrée et constante, surtout pendant la saison chaude. Ils ne doivent être ni écrasés de soleil en été, ni durablement glacés en hiver. La neige doit être modérée quoique suffisante pour reconstituer les réserves d'eau quand elle fond. La configuration du terrain doit stopper les vents dominants et préserver des tempêtes d'automne. Le milieu forestier doit être hostile à la pullulation des champignons et des insectes xylophages. Si les arbres rêvaient d'un pays de cocagne, c'est assurément à cela qu'il ressemblerait. Mais excepté en quelques rares points du globe, nulle part ces conditions idéales ne sont rassemblées. Et c'est tant mieux pour la diversité des espèces. Car sous nos contrées, dans la course aux meilleures places, le grand vainqueur serait quasi exclusivement le hêtre. Il sait à la perfection exploiter l'affluence de concurrents avant de les anéantir en s'insinuant dans leurs houppiers, puis en développant de belles pousses sommitales qui les dépassent et les écrasent de leur hauteur. L'espèce qui ambitionne de survivre dans une telle situation de concurrence doit trouver autre chose, sachant que tout écart de l'idéal du pays de cocagne va nécessairement lui compliquer la vie. Trouver une niche écologique bien à soi implique de faire des concessions. Une niche écologique ? Le terme de niche suggérant un espace réduit et rare, peut-être serait-il plus explicite de parler simplement d'adaptation à un milieu. Il y a sur terre pléthore de milieux difficiles plus grands les uns que les autres, et les espèces qui s'y adaptent possèdent un immense potentiel d'extension. C'est le cas de l'épicéa. Il peut s'implanter partout où les étés sont courts et les hivers rigoureux, dans le Grand Nord comme dans nos montagnes près de la limite de la forêt. En Sibérie, au Canada ou en Scandinavie, la période végétative ne durant que quelques semaines, le hêtre n'aurait pas terminé de développer son feuillage que la saison serait déjà terminée. Les hivers y sont en outre d'une férocité telle qu'il finirait par geler sur pied. L'épicéa est le seul à pouvoir marquer des points dans ce milieu glacial. Ses aiguilles et son écorce contiennent des essences végétales qui offrent une sorte de protection contre le froid. Cela lui permet de conserver ses aiguilles durant toute la saison froide, il n'a pas besoin de renoncer à sa belle livrée verte à l'automne. Au printemps, il peut démarrer la photosynthèse dès que les températures remontent. Il ne perd pas un jour et même s'il ne dispose que de quelques semaines pour fabriquer des sucres et du bois, il n'en croît pas moins de quelques centimètres tous les ans. La persistance des aiguilles sur les branches constitue néanmoins un risque important. Elles retiennent la neige qui en s'accumulant peut représenter un poids tel qu'il met la solidité de l'arbre en danger. Pour ne pas en arriver là, l'épicéa dispose de deux systèmes de protection. Le premier consiste à développer un tronc parfaitement droit. Un arbre bien vertical n'est pas facile à déséquilibrer. Le second concerne le profil des branches. En été, elles sont horizontales, mais quand elles commencent à se charger de neige, elles s'inclinent progressivement jusqu'à se superposer comme des tuiles. Elles se soutiennent ainsi les unes les autres tout en réduisant tant et si bien le volume de l'arbre que le plus gros de la neige tombe directement sur le sol. Dans les zones où l'enneigement est important, en altitude ou dans le Grand Nord, l'épicéa développe en outre une silhouette caractéristique tout en longueur, avec des branches courtes et un houppier très étroit, qui perfectionne le système.

Les aiguilles présentent toutefois un autre risque. Leur persistance sur l'arbre renforce la prise au vent, ce qui rend les épicéas très sensibles aux violentes rafales des tempêtes hivernales. Seule l'extrême lenteur de leur croissance les en protège. Il est courant que des individus multicentenaires ne dépassent pas 10 mètres de hauteur, or le risque d'être abattu par une bourrasque n'augmente de façon significative qu'à partir de 25 mètres.

La nature a voulu que les forêts primaires de nos latitudes soient essentiellement composées de hêtres, et le hêtre n'est pas une essence qui laisse passer beaucoup de lumière. L'if s'est accommodé de la situation. Symbole de frugalité et de patience, il a vite compris qu'il ne ferait jamais le poids face au hêtre et s'est spécialisé dans les étages inférieurs. Il s'y développe grâce aux 3 % de lumière que le hêtre laisse chichement filtrer. Sa croissance n'est pas fulgurante, il s'écoule souvent un siècle entier avant qu'il atteigne plusieurs mètres de hauteur et la maturité sexuelle. Durant ces années, les mésaventures s'enchaînent : les herbivores le retaillent à leur goût, et du même coup le renvoient des dizaines d'années en arrière ; ou pire : un vieux hêtre sénescent s'abat sur lui et l'écrase. Mais l'if, coriace et prudent, a anticipé ces contretemps. Il investit d'emblée beaucoup plus d'énergie dans le développement de son système racinaire que d'autres espèces. Il y stocke des nutriments, de sorte que si un malheur vient le frapper en surface, ces réserves lui permettent de repartir aussitôt, dans un bel élan d'énergie. C'est souvent une occasion pour lui de former plusieurs troncs qui plus tard, quand il sera vieux, fusionneront et lui donneront son aspect plissé. Et vieux, il le devient ! Comme il peut atteindre plus de 1 000 ans, il survit à une majorité de concurrents et se retrouve ainsi au soleil plusieurs fois au cours de sa vie, au rythme des défections de l'un ou l'autre de ses grands voisins. Pour autant, il ne dépasse pas les 20 mètres de hauteur ; c'est un modéré qui vit de peu et n'aspire pas à s'élever toujours plus haut.

Le charme, un parent du bouleau, tente bien de s'inscrire dans les pas de l'if, mais il n'est pas aussi sobre et il a besoin d'un peu plus de lumière. Il supporte de vivre à l'ombre du hêtre, quoiqu'il n'y développe jamais une belle stature. Il est vrai qu'il dépasse rarement les 20 mètres, et encore n'atteint-il cette taille que sous une essence de lumière comme le chêne. Là, il est à son aise pour se déployer, et comme il ne contrarie pas les ambitions du grand chêne, la place suffit pour les deux espèces. À condition que le hêtre, qui s'impose sur les deux espèces et surpasse au moins le chêne en hauteur, ne vienne pas jouer les trouble-fêtes, ce qui est souvent le cas. Le charme a toutefois des atouts, car en plus de l'ombre épaisse il supporte bien la sécheresse et la chaleur. Là, le hêtre ne peut pas suivre et le charme conserve toutes ses chances sur les versants sud, secs et ensoleillés.

Peu d'espèces possèdent des racines capables de survivre dans les sols marécageux ou les eaux stagnantes pauvres en oxygène. Ces milieux sont typiques des sources et des cours d'eau dont les abords sont régulièrement inondés. Si une faîne s'y égare et germe, elle peut donner naissance à un hêtre de belles dimensions. Un jour pourtant, un orage d'été le renversera, car ses racines atteintes de pourriture ne pourront s'accrocher à aucun support. Un sort identique échoit aux épicéas, aux pins, aux charmes et aux bouleaux dès qu'ils ont temporairement, voire en permanence, les pieds dans une eau froide et putride. Il en va tout autrement de l'aulne. Avec ses 30 mètres de hauteur, il ne domine pas ses concurrents, mais c'est un champion de la croissance en sol marécageux (que personne ne lui dispute). Son secret réside dans les canaux d'aération qui parcourent ses racines. Ceux-ci permettent le transport de l'oxygène jusqu'aux plus petites pointes, un peu à la manière des plongeurs raccordés à la surface par un détendeur. Pour compléter le dispositif, la base de son tronc possède des cellules de liège qui laissent entrer l'air. Il faut que le niveau d'eau dépasse ces orifices respiratoires durant une longue période pour affaiblir l'aulne au point que ses racines deviennent vulnérables aux attaques de champignons.

Qu'est-ce qu'un arbre ?

QU'EST-CE QUI EST ARBRE ET QU'EST-CE QUI NE L'EST PAS ? Le dictionnaire définit l'arbre comme un végétal ligneux possédant un tronc d'où partent des branches. La tige principale doit être dominante et présenter une croissance en hauteur constante. À défaut de tronc unique, le végétal n'est pas un arbre mais un arbrisseau et ce qui ressemble à plusieurs petits troncs partant d'une souche commune sont en réalité des petites branches. Maintenant, qu'en est-il de la taille ? Je suis toujours déconcerté quand je vois des reportages sur les forêts du Bassin méditerranéen qui pour moi ressemblent plutôt à des accumulations de broussailles. Les arbres ne sont-ils pas des êtres majestueux à l'ombre desquels nous nous sentons tout petits ? Il est vrai que j'ai fait des séjours en Laponie où j'ai aussi rencontré des spécimens qui m'ont donné l'impression exactement inverse. Ces végétaux qui ont le pouvoir de vous transformer en Gulliver chez les Lilliputiens sont les arbres nains de la toundra. Ils sont si petits – certains, à 100 ans, dépassent à peine 20 centimètres – que les randonneurs les piétinent allègrement. La botanique ne les considère pas comme des arbres, pas plus que le bouleau arbustif, ainsi que son nom pouvait le laisser supposer. Ce dernier développe pourtant des troncs qui peuvent atteindre 3 mètres de hauteur, quoiqu'il se contente le plus souvent d'un petit mètre cinquante, ce qui sans doute explique qu'il ne soit pas pris au sérieux. Si l'on appliquait les mêmes normes aux petits hêtres ou aux sorbiers des oiseleurs, ils ne seraient pas considérés comme des arbres non plus. Sans compter qu'à force d'être broutés par des grands mammifères comme les chevreuils ou les cerfs, ils présentent pendant des dizaines d'années l'aspect de petits buissons très ramifiés d'une cinquantaine de centimètres de hauteur.

Et quand un arbre est coupé ? Meurt-il ? Qu'en est-il, par exemple, de cette souche multicentenaire évoquée au tout début de ce livre, que ses congénères maintiennent sous perfusion pour qu'elle ne meure pas ? Est-ce un arbre ? Si ce n'en est pas un, qu'est-ce que c'est ? L'affaire se complique encore quand la souche forme un rejet. Et cela est d'autant plus fréquent que, dans de nombreuses forêts, les feuillus ont longtemps été exploités par les charbonniers qui les coupaient pour fabriquer du charbon de bois. Les souches ont formé des rejets qui constituent aujourd'hui, des siècles plus tard, la base d'une majorité de nos forêts de feuillus, notamment de chênes et de charmes. La méthode consistait à couper et à laisser repousser les rejets une quinzaine d'années environ avant de les couper à nouveau, de sorte que jamais les arbres n'atteignaient une grande ampleur. À l'époque, cette pratique du taillis était dictée par la pauvreté des populations qui ne pouvaient pas se permettre d'attendre que les arbres grossissent. Les formes en cépées, que vous pouvez rencontrer aujourd'hui en forêt, en sont des vestiges, de même que les renflements globuleux à la base des pieds-mères, signes d'une prolifération des tissus due à l'abattage régulier des rejets.

Mais ces formes sont-elles de jeunes arbres ou de très anciens spécimens ? D'ancestraux épicéas de la province suédoise de Dalécarlie ont fait l'objet d'études visant à répondre à la même question. Le sujet le plus âgé a développé une sorte de buisson aplati qui forme comme un tapis autour d'un unique petit tronc. L'ensemble appartient à un individu dont l'âge de la souche a été estimé au carbone 14. Le carbone 14 est un isotope radioactif du carbone qui est produit en permanence dans l'atmosphère puis se désintègre lentement. Son rapport avec le carbone total est constant. Présent dans une biomasse inactive comme le bois, la désintégration se poursuit tandis qu'il ne reçoit plus de nouveau carbone radioactif. Il en résulte que plus la part de carbone 14 est réduite, plus la matière organique doit être vieille. La datation de l'épicéa au carbone 14 a révélé l'âge à peine croyable de 9 550 ans. Les pousses qui forment le buisson, nettement plus récentes puisque apparues lors des derniers siècles, n'ont pas été considérées comme des arbres en soi mais bien comme des parties de l'ensemble[23]. Et si je peux donner mon avis : à raison tant il est évident que le rôle de la souche a été plus important que celui de la formation extérieure. C'est elle qui a assuré la survie de l'organisme, elle qui a résisté aux fortes variations climatiques et sans cesse développé de nouveaux troncs. Dans ses entrailles sont stockées les milliers d'années d'informations qui lui ont permis de survivre jusqu'à aujourd'hui. Au passage, cet épicéa a fait un sort à quelques doctrines scientifiques. Jusque-là, personne ne savait que l'espèce pouvait largement dépasser les 500 ans. Surtout, il était généralement admis que les épicéas n'étaient apparus dans cette partie de la Suède que 2 000 ans après le recul des glaciers. Pour moi, ce petit végétal qui n'a l'air de rien est symbolique du peu que nous comprenons des arbres et des forêts, et de tous les prodiges de la nature qu'il nous reste encore à découvrir.

Mais revenons à l'importance de la souche. Il est possible qu'elle soit le siège d'une sorte de cerveau de l'arbre. Une sorte de cerveau ? N'est-ce pas un brin exagéré ? Peut-être, cependant nous savons que les arbres peuvent apprendre et par conséquent qu'ils stockent des informations. Il faut bien qu'il y ait quelque part dans leur organisme un lieu pour cela. Nous ignorons où ce quelque part se trouve, mais les racines seraient bien adaptées. D'une part, les vieux épicéas de Dalécarlie témoignent que les organes souterrains sont les plus durables de l'arbre, sinon, où stockeraient-ils à long terme des informations importantes ? D'autre part, s'il y a un enseignement à tirer de la recherche actuelle, c'est bien que le délicat réseau racinaire n'est jamais avare de surprises. Jusque-là, il était unanimement admis qu'il pilotait chimiquement toutes les fonctions. Rien de déshonorable à cela, chez nous aussi de nombreux processus sont régulés par des messagers chimiques. Les racines absorbent des éléments nutritifs, les transportent, diffusent en retour les produits de la photosynthèse aux partenaires champignons et transmettent même des avertisseurs chimiques aux arbres voisins. Mais il y aurait un cerveau ? Pour ce que nous en savons, pour qu'il y ait cerveau, il faut qu'il y ait des processus neuronaux, et ceux-ci impliquent qu'il y ait, outre des messagers chimiques, également des signaux électriques. Des signaux électriques, justement, la science en détecte, depuis le XIXᵉ siècle. Alors, les plantes ont-elles un cerveau ? Sont-elles intelligentes ? Ce n'est rien de dire que le débat qui anime la communauté scientifique depuis des années est vif.

Frantisek Baluska, de l'Institut de botanique cellulaire et moléculaire de l'université de Bonn, pense, en accord avec d'autres de ses collègues, que les pointes des racines sont équipées de dispositifs similaires à un cerveau. Elles présentent en effet, outre un système de transmission des signaux, des structures et des molécules que l'on observe également chez les animaux[24]. La racine qui progresse dans le sol est à même de capter des stimuli. Les chercheurs ont détecté des signaux électriques qui, après avoir été traités dans une zone de transition, induisent des modifications du comportement. Quand les racines rencontrent des substances toxiques, des pierres infranchissables ou des milieux trop humides, elles analysent la situation puis transmettent les changements nécessaires aux zones qui assurent la croissance. Celles-ci changent alors de direction et contournent l'obstacle. En déduire que les racines sont le siège d'une intelligence, d'une aptitude à se souvenir et à ressentir des émotions est vivement critiqué par une majorité d'universitaires. Ils contestent le rapprochement avec des situations similaires chez les animaux, notamment parce qu'il tend à effacer la frontière entre monde végétal et monde animal. Et alors ? Serait-ce si terrible ? La division entre végétal et animal est un choix arbitraire essentiellement basé sur le mode de nutrition : l'un pratique la photosynthèse, l'autre ingère des organismes vivants. La seule véritable différence concerne le temps nécessaire au traitement des informations puis à leur transformation en actions. Mais les organismes lents sont-ils nécessairement inférieurs aux organismes rapides ? Je me demande parfois si nous ne serions pas contraints de traiter les arbres et l'ensemble des végétaux avec plus d'égards s'il s'avérait sans contestation possible qu'ils partagent de nombreuses facultés avec les animaux.

Le monde souterrain

LE SOL EST POUR NOUS, HUMAINS, ENCORE PLUS OPAQUE que l'eau, au sens propre comme au figuré. Si le fond des océans est moins exploré que la surface de la Lune[25], la vie souterraine l'est encore moins. Nous ne sommes pas totalement ignares, quantité d'espèces et de phénomènes sont déjà connus, mais comparés à la diversité de la vie qui s'agite sous nos pieds, c'est infime. La biomasse d'une forêt se trouve pour moitié dans cet étage inférieur. La plupart des organismes qui y vivent sont invisibles à l'œil nu. Sans doute cela explique-t-il que nous leur manifestions moins d'intérêt qu'aux loups, aux pics noirs ou aux salamandres, alors que leur rôle est peut-être plus important pour les arbres. Les grands animaux ne sont pas indispensables à une forêt. Chevreuils, cerfs, sangliers, carnassiers et même une grande partie des oiseaux ne laisseraient pas un vide dramatique dans l'écosystème. Ils pourraient tous disparaître en même temps que la forêt continuerait de pousser sans grandes perturbations. Il en va tout autrement des créatures microscopiques de l'étage souterrain. Une poignée de terre forestière contient plus d'organismes vivants qu'il y a d'êtres humains sur terre.

Une cuillerée à café contient déjà à elle seule un kilomètre de filaments de champignons. Tous ces organismes ont une action sur le sol ; ils le modifient, l'amendent, lui donnent sa valeur pour les arbres.

Avant de nous intéresser de plus près à quelques-unes de ces créatures, j'aimerais revenir avec vous sur l'origine de la formation du sol. Sans terre, il ne peut y avoir de forêts, car il faut que les arbres puissent s'enraciner quelque part. De la roche nue ne le permettrait pas, quant à de la rocaille, les racines pourraient s'y accrocher mais elle ne retiendrait pas suffisamment d'eau et de nutriments. Des phénomènes géologiques, comme les glaciations, avec leurs périodes de gel, ont fait éclater la roche, puis l'action abrasive des glaciers a transformé les morceaux en sable et en poussières jusqu'à ce que ne subsiste plus qu'un substrat léger. À la fonte des glaces, ce substrat a été transporté par l'eau à des altitudes inférieures ou dans des dépressions, ou bien, balayé par le vent, il s'est accumulé pour former des dépôts épais de plusieurs mètres. La vie y est apparue sous forme de bactéries, de champignons et de végétaux qui, en se décomposant, se sont transformés en humus. Au fil des millénaires, ce sol – qui ne peut s'appeler ainsi qu'à compter de ce stade – a pu être colonisé par des arbres qui dès lors n'ont cessé de l'enrichir. Leurs racines l'ont retenu et préservé du ravinement et des tempêtes. Grâce à ces arbres, l'érosion ne l'a plus atteint et les couches d'humus qui s'empilaient ont commencé à former une roche préliminaire du lignite. L'érosion est l'un des grands ennemis naturels des forêts. Tout phénomène extrême, le plus souvent de fortes précipitations, use un peu le sol. Si la terre forestière ne peut pas immédiatement absorber la totalité de l'eau, le surplus s'écoule sur la surface en emportant des petites particules. Les ruissellements brunâtres que l'on observe parfois après la pluie charrient de précieux sédiments. Cela peut représenter jusqu'à 10 000 tonnes par an au kilomètre carré. Dans le même temps et pour la même surface, la transformation de roches du sous-sol par érosion n'en produit que 100 tonnes. Le manque à gagner est gigantesque et, un jour, il ne reste plus en surface que des fragments de roches. Ces aires désertiques, qui se développent sur des sols épuisés qui il y a des siècles étaient encore exploités par l'agriculture, apparaissent un peu partout dans les forêts. *A contrario*, si la forêt se maintient et joue son rôle protecteur, elle ne perd qu'entre 0,4 et 5 tonnes de sédiments par an au kilomètre carré, et le rapport s'inverse. Au fil du temps, le sol forestier devient plus profond et les conditions environnementales des arbres s'améliorent[26].

Parlons maintenant des petits animaux qui vivent dans le sol. Ils ne sont pas particulièrement séduisants, je le concède. Si leur faible taille les rend pour la plupart invisibles à l'œil nu, donc peu attirants, prendre une loupe n'arrange pas vraiment les choses : oribates, collemboles et polychètes sont définitivement moins sympathiques que les orangs-outans ou les baleines à bosse. En milieu forestier, ces petits organismes constituent le premier élément de la chaîne alimentaire, ce qui les assimilerait à une sorte de plancton terrestre. Malheureusement, la recherche ne s'intéresse qu'à la marge aux milliers d'espèces aux noms latins impossibles à mémoriser qui ont déjà été découvertes, sans parler des milliers d'autres qui attendent toujours de sortir de l'anonymat. Mais tout n'est pas négatif : il reste dans nos forêts, à nos portes, quantité de mystères à explorer. Considérons déjà ceux sur lesquels le voile a été levé.

Prenons les oribates, évoqués plus haut. Plus de 1 000 espèces ont déjà été répertoriées sous nos latitudes. Ils mesurent moins d'un millimètre et ressemblent à des araignées à petites pattes. Leur couleur marron beige offre un bon camouflage dans le sol, leur milieu naturel. Ils appartiennent à un sous-ordre d'acariens. D'acariens ? Aïe, aussitôt surgissent des associations avec les acariens de notre environnement domestique qui se nourrissent de particules de peau morte et autres résidus, en même temps qu'ils déclenchent des allergies. De fait, plusieurs espèces d'oribates ont un comportement similaire avec les arbres. Les feuilles mortes et les squames d'écorces s'empileraient sur des mètres si une armée de microbestioles affamées ne se jetait pas dessus. Elles vivent dans le feuillage tombé à terre dont elles s'alimentent avec voracité. D'autres espèces sont spécialisées dans les champignons. Elles s'installent dans des petites galeries souterraines et s'abreuvent des sucs que les filaments blancs exsudent. En fin de compte, ces oribates se nourrissent des sucres que l'arbre cède à ses champignons partenaires. Bois en décomposition ou gastéropodes morts, il n'y a rien auquel une espèce d'oribates ne se serait pas adaptée. Surgissant partout où la vie se crée et disparaît, ils sont indispensables à l'écosystème forestier.

Considérons maintenant les curculionidés : ils ressembleraient presque à de minuscules éléphants, larges oreilles en moins, et appartiennent aux familles d'insectes comptant le plus grand nombre d'espèces au monde, dont environ 1 400 rien que chez nous. La trompe sert plus à l'élevage de la progéniture qu'à la prise d'aliments. Ce long museau leur permet en effet de percer des petits trous dans les feuilles et les tiges dans lesquels ils pondent ensuite leurs œufs. Ainsi à l'abri des prédateurs, les larves peuvent grignoter des petites galeries où elles se développent en paix, à l'intérieur des végétaux[27].

Quelques espèces de curculionidés, vivant pour la plupart dans le sol, se sont tant et si bien adaptées au rythme lent des forêts et à leur quasi-pérennité qu'elles ne savent plus voler. Elles peuvent tout au plus se déplacer de 10 mètres par an, mais cela comble leurs besoins. Si l'environnement immédiat d'un arbre se modifie parce qu'il meurt, le curculionidé n'a pas à aller plus loin que l'arbre voisin pour reprendre son grignotage du feuillage en décomposition. La présence de ces insectes est l'indice d'une longue histoire forestière ininterrompue. Si la forêt a été défrichée au Moyen Âge puis replantée, ils en sont absents car la distance à parcourir « à pattes » pour venir de la vieille forêt la plus proche est tout simplement trop grande.

Tous ces animaux ont une caractéristique commune : étant très petits, leur rayon d'action est extrêmement réduit. Dans les grandes forêts primaires qui couvraient jadis le centre de l'Europe, cela était sans importance. Aujourd'hui, la majorité des forêts ont été modifiées par l'homme. On y trouve des épicéas au lieu de hêtres, des douglas au lieu de chênes, de jeunes arbres au lieu de vieux... ce n'est pas du goût de ces animaux (au sens strict du terme) qui disparaissent localement, faute d'une nourriture adaptée. Néanmoins, il existe toujours de vieilles forêts de feuillus qui hébergent une biodiversité aussi riche qu'autrefois. La gestion forestière s'efforce ici et là de réintroduire de la mixité en favorisant les feuillus sur les conifères. Mais quand de grands et beaux hêtres y auront remplacé les épicéas abattus par une tempête, comment les oribates et les collemboles accéderont-ils aux sites ? Certainement pas à pattes, puisqu'ils ne se déplacent guère de plus d'un mètre au cours de leur vie. Peut-on espérer pouvoir de nouveau admirer un jour de vraies forêts primaires, au moins dans des parcs nationaux comme celui de la forêt bavaroise ? Le résultat des observations menées dans mon district par les étudiants d'Aix-la-Chapelle incite à l'optimisme. Il est en effet apparu que les espèces de la microfaune attachées aux forêts de conifères étaient capables de parcourir des distances étonnamment grandes. Et ce sont précisément les anciennes plantations d'épicéas qui l'attestent, sans aucun doute. Les jeunes chercheurs y ont découvert des espèces de collemboles spécialistes des forêts d'épicéas. Or ces forêts ont été plantées par mes prédécesseurs, il y a seulement cent ans. Auparavant, comme partout dans le centre de l'Europe, nous avions à Hümmel essentiellement de vieux hêtres. Comment des collemboles spécialistes des aiguilles d'épicéas sont-ils arrivés chez nous ? Mon hypothèse est qu'ils ont été transportés par des oiseaux, enfouis dans leurs plumes. Les oiseaux prennent volontiers des bains de poussière dans les feuilles pour nettoyer leur plumage. Il est probable que nombre des minuscules collemboles alors présents dans les feuilles soient emprisonnés dans les plumes puis soient lâchés dans une autre forêt au bain de poussière suivant. Ce qui vaut pour les espèces spécialistes des épicéas a de bonnes chances de valoir aussi pour celles qui n'aiment que les feuillus. Si les forêts de feuillus peuvent regagner du terrain et se développer sans être dérangées, les oiseaux pourraient contribuer à la réintroduction des petits sous-locataires dont c'est l'habitat. Il est vrai que la réapparition de la faune microscopique peut nécessiter de longues, très longues années, comme l'indiquent de récentes études réalisées par les villes allemandes de Kiel et Lüneburg[28]. Une forêt de chênes a été plantée il y a plus de cent ans dans la lande de Lüneburg, sur d'anciennes terres agricoles. Les scientifiques avaient estimé que le sol se serait renouvelé et que la structure originelle de champignons et de bactéries aurait réinvesti le site en quelques décennies. Ils se trompaient, et de beaucoup. L'inventaire des espèces révèle aujourd'hui encore de grands manques, ce qui a de lourdes répercussions sur la forêt. Le cycle des nutriments, avec ses nombreuses interdépendances entre l'apparition de la vie et sa disparition, ne fonctionne pas correctement ; et l'excès d'azote dû aux fertilisants jadis utilisés n'est toujours pas résorbé. La forêt pousse certes plus vite que des peuplements de référence sur d'anciens sols forestiers primaires, mais elle est nettement plus vulnérable, notamment à la sécheresse.

Si l'on ne sait pas combien de temps un sol forestier met à se constituer, une chose est sûre : cent ans ne suffisent pas. Et encore faut-il qu'il y ait alentour des forêts naturelles mises en réserves où toute intervention humaine est proscrite. Seule la réunion de ces conditions permet à la biodiversité du sol de perdurer et de servir à la régénération des espaces environnants en jouant le rôle de cellule reproductrice. Nul besoin pour cela de renoncer à toute économie forestière. La commune de Hümmel en est l'exemple. Cela fait des années qu'elle a placé sous protection la totalité de ses anciennes forêts de hêtres et les exploite depuis d'une autre façon. Une partie est devenue un cimetière forestier où les urnes funéraires sont inhumées aux pieds d'arbres soumis au même régime de concession que les tombes d'un cimetière classique. Redevenir poussière en forêt, aux pieds de pierres tombales vivantes, n'est-ce pas une belle idée de dernier repos ? D'autres sites ont été concédés à des entreprises qui s'acquittent ainsi de leur contribution à la protection de l'environnement. Autant de choix de gestion dont le bénéfice contrebalance l'abandon de l'exploitation du bois, pour le plus grand bien de la nature et des hommes.

Les arbres et le carbone

UNE VISION LARGEMENT RÉPANDUE DES CYCLES de la nature voudrait que les arbres soient de parfaits exemples de bilan carbone équilibré. Ils réalisent la photosynthèse, produisent ainsi des composés carbonés organiques qu'ils utilisent pour se développer, et ils emmagasinent au cours de leur vie jusqu'à 20 tonnes de CO_2 dans leur tronc, leurs branches et leur système racinaire. Quand ils meurent, une quantité de gaz à effet de serre strictement équivalente est libérée par l'action de champignons et de bactéries qui digèrent le bois et le rejettent, transformé, dans l'atmosphère. Cette vision simpliste est aussi à l'origine de la croyance selon laquelle la combustion du bois serait sans incidence sur le climat. Après tout, quelle différence y aurait-il entre la décomposition d'une bûche en ses composants gazeux par des micro-organismes et la même action par combustion dans le poêle à bois du salon ?

Le fonctionnement de la forêt n'est pas aussi simple. Elle est en réalité un gigantesque aspirateur à CO_2 dont elle absorbe et stocke en permanence les composés organiques volatils. Une partie du CO_2 est effectivement rejetée dans l'atmosphère à la mort du végétal, mais la plus grande part reste acquise à l'écosystème. Le tronc vermoulu est lentement réduit en miettes toujours plus petites et absorbé par différentes espèces qui, centimètre après centimètre, l'enfouissent de plus en plus profondément dans le sol. L'ultime reliquat est pris en charge par la pluie qui assure la pénétration des résidus organiques dans la terre. Plus on s'enfonce dans le sol, plus la température baisse. Et à mesure que la température baisse, la vie ralentit, jusqu'à s'arrêter presque totalement. Le CO_2 trouve ici son dernier repos sous forme d'humus et entame un lent, très lent processus de transformation et d'enrichissement. Dans un avenir lointain, peut-être sera-t-il devenu houille ou lignite. Les gisements actuels de charbons fossiles sont issus du processus de transformation de débris végétaux entamé il y a environ 300 millions d'années. À l'époque, les arbres étaient un peu différents, ils ressemblaient à des fougères ou à des prêles géantes, mais avec leurs 30 mètres de hauteur et des troncs qui pouvaient mesurer 2 mètres de diamètre, ils avaient l'envergure de nos espèces actuelles. La plupart poussaient dans des marais ; quand ils arrivaient en fin de vie, leurs troncs tombaient dans les eaux marécageuses où ils se décomposaient très peu. Au fil des millénaires, d'épaisses couches de tourbe se sont ainsi formées et se sont peu à peu tassées puis transformées en charbon sous l'effet de la pression exercée par les éboulis successifs. Ce sont des forêts fossiles qui aujourd'hui alimentent les grandes centrales électriques. Ne serait-ce pas une idée sensée et belle de donner à nos arbres une chance de vieillir comme leurs ancêtres ? Ils pourraient au moins de nouveau stocker dans le sol une partie du CO_2 qu'ils absorbent.

La formation de charbon est aujourd'hui quasi inexistante, car l'exploitation forestière impose d'éclaircir constamment les forêts. Il en résulte que les rayons du soleil pénétrant jusqu'au sol réchauffent le milieu et stimulent le démarrage des espèces de l'étage inférieur. Pour se développer, celles-ci consomment jusqu'aux toutes dernières réserves d'humus des couches profondes et les rejettent dans l'atmosphère sous forme de gaz. La quantité totale de gaz à effet de serre émise par le processus correspond à peu près à celle rejetée par la combustion du bois. Pour chaque bûche que vous brûlez chez vous dans le poêle familial, dehors, le même volume de CO_2 est libéré dans l'atmosphère par les sols forestiers lorsque de nouvelles espèces s'y développent. Sous nos latitudes, les réserves de carbone du sol se vident aussi vite qu'elles se constituent.

Vous pourrez néanmoins observer le début du processus de carbonisation lors d'une prochaine promenade en forêt. Creusez un peu le sol jusqu'à ce qu'apparaisse une couche claire. La terre de couleur sombre située au-dessus de cette couche est fortement enrichie en carbone. Si nous ne touchions plus à la forêt, nous aurions ici un premier degré de charbon, de gaz naturel ou de pétrole. Aujourd'hui, ce processus peut de nouveau se dérouler sans perturbations dans de grands territoires protégés comme les réserves naturelles situées dans des parcs nationaux. Je me dois toutefois de préciser que la minceur des couches d'humus n'est pas imputable à la seule sylviculture moderne. Les Romains et les Celtes, qui pratiquaient déjà des coupes répétées dans leurs forêts, ont été parmi les premiers à interrompre les processus de transformation naturels.

Mais que devient le CO_2 que les arbres absorbent? Et ils ne sont pas les seuls : tous les végétaux, y compris les algues marines, filtrent le CO_2 de l'air. Chez celles-ci, lorsqu'elles meurent, il descend dans les profondeurs pour être stocké dans la vase sous forme de combinés carbonés organiques. Ces volumes s'ajoutent aux résidus animaux comme le calcaire des coraux, qui est l'un des plus grands réservoirs à CO_2. Ainsi, sur des centaines de millions d'années, d'énormes quantités de carbone ont été soustraites à l'atmosphère. Au carbonifère, période géologique de la formation des vastes dépôts de charbon, la concentration de CO_2 dans l'air était neuf fois supérieure à aujourd'hui, donc très élevée ; puis les forêts, parmi d'autres facteurs, ont contribué à abaisser ce taux à trois fois la concentration que nous connaissons actuellement[29]. Mais où l'exercice s'arrête-t-il pour nos forêts ? Vont-elles continuer à stocker du carbone jusqu'à ce que l'air n'en contienne plus ? À vrai dire, la question ne se pose plus car cela fait déjà quelque temps que nous nous sommes employés à inverser le processus avec notre frénésie de consommation et que nous ponctionnons allégrement les réserves de carbone. Pétrole, gaz et charbon sont brûlés sous forme de combustibles ou de carburants et rejetés dans l'air. Modification du climat mise à part, serait-ce un bienfait que nous libérions aujourd'hui des gaz à effet de serre de leur prison souterraine et les rejetions dans l'atmosphère ? Je n'irai pas jusque-là, mais force est de constater que l'augmentation actuelle de la concentration de CO_2 dans l'air a un effet fertilisant. Les derniers inventaires forestiers révèlent que les arbres poussent plus vite. Les tables d'estimation de productivité ont dû être adaptées, car entre-temps le volume de biomasse produite est supérieur d'environ un tiers à ce qu'il était il y a seulement quelques dizaines d'années. Mais n'avons-nous pas appris que, pour un arbre, la lenteur était gage de longévité ? Cette croissance rapide, que l'agriculture, de son côté, dope encore par des apports massifs d'azote, n'est pas saine. La règle du « moins (de CO_2) est plus (de longévité) »* est plus que jamais valable.

Lorsque j'étais étudiant, on nous enseignait que les jeunes arbres avaient plus de vitalité et poussaient plus vite que les vieux. Cette thèse, aujourd'hui encore largement répandue, a pour conséquence que l'on estime devoir rajeunir les forêts. Rajeunir ? En pratique, cela signifie abattre les vieux arbres et les remplacer par de jeunes plants. Aux dires des associations de propriétaires forestiers et des représentants de sylviculteurs, ce serait le seul moyen de stabiliser les forêts qui pourraient alors produire beaucoup de bois et ainsi capter et transformer un beau volume de CO_2 atmosphérique. Le ralentissement de la croissance intervenant, selon les espèces, prétendument entre 60 et 120 ans, c'est le seuil retenu pour donner le top départ aux tronçonneuses et autres engins de ramassage. À croire que l'idéal de jeunesse éternelle en vogue dans notre société moderne a été transposé à la forêt. Du moins est-ce l'impression que cela donne, car à l'aune « humaine », à 120 ans, un arbre termine tout juste sa scolarité. Et de fait, les hypothèses scientifiques jusque-là admises sont totalement contredites par les récents travaux d'une équipe de chercheurs internationale. Ces scientifiques ont mené une vaste étude concernant environ 700 000 arbres sur tous les continents. Leurs conclusions sont surprenantes : plus les arbres sont vieux, plus ils poussent vite. Des arbres présentant un tronc d'un mètre de diamètre produisaient trois fois plus de biomasse que des individus moitié moins gros[30]. Il apparaît ainsi que, chez les arbres, vieux n'est pas synonyme de faible, bossu et vulnérable, mais de vigoureux

---

* Allusion à la notion de « Less is more » de l'architecte Mies van der Rohe (1886-1969), défenseur d'une esthétique claire et dépouillée ; aujourd'hui également synonyme de rationalité, de simplicité et de bon sens.

et performant. Les arbres-vieillards sont nettement plus pro-
ductifs que les jeunes blancs-becs, et ils sont de précieux
alliés des hommes dans leur lutte contre le réchauffement
climatique. Depuis la publication de cette étude, prôner le
rajeunissement des forêts pour les revitaliser s'apparente à
de la tromperie. Le vieillissement d'un arbre peut tout au
plus entraîner une dépréciation de la valeur marchande du
bois. Avec l'âge, le risque d'un développement de pourriture fongique à l'intérieur du tronc augmente, mais cela
ne ralentit pas la croissance. Si nous voulons que les forêts
jouent pleinement leur rôle dans la lutte contre le changement
climatique, nous devons les laisser vieillir. Les principales
associations de protection de la nature ne demandent pas
autre chose.

Régulateurs de climat

LES ARBRES N'APPRÉCIENT PAS LES GRANDES VARIATIONS de température et d'humidité. Or la météo est la même pour tous, et ils en subissent eux aussi les aléas. Cependant, il semble bien que les arbres aient le pouvoir d'influer sur leur environnement climatique. Pour ma part, j'en ai été convaincu par un petit bois des environs de Bamberg qui se développe sur un sol sableux pauvre et sec. Les ingénieurs agronomes qui se sont jadis intéressés au site ont déclaré que rien n'y pousserait, excepté des pins. Pour ne pas créer une zone de monoculture aride et préserver la microfaune souterraine, on planta néanmoins aussi des hêtres dont le feuillage devait tempérer l'acidification du sol par les aiguilles de pin. Personne n'envisageait que ces feuillus fournissent un jour du bois ; leur seule fonction était d'être ce que l'on appelle une espèce améliorante. Mais ces hêtres n'avaient aucune intention de se contenter d'un rôle de faire-valoir. Quelques décennies plus tard, ils avaient montré ce qu'ils avaient dans le ventre. Les feuilles qu'ils perdaient automne après automne formèrent au fil des années une couche d'humus équilibré à fort pouvoir de rétention d'eau. L'air ambiant devint progressivement

plus humide, car les feuilles des arbustes en pleine croissance freinaient les courants d'air entre les troncs des pins.
L'air circulant moins, le taux d'évaporation baissa. Ce fut
tout bénéfice pour les hêtres qui poussèrent de mieux en
mieux, et vint un jour où ils dépassèrent les pins. Le sol
forestier et le microclimat s'étaient modifiés au point que
les conditions environnementales étaient devenues plus
favorables aux feuillus qu'aux sobres conifères. N'est-ce
pas un bel exemple de ce dont les arbres sont capables ?
Comme les forestiers aiment le dire : la forêt crée elle-
même son milieu idéal. C'est assurément valable pour
l'atténuation des courants d'air, nous venons de le voir,
mais qu'en est-il de la gestion de l'humidité ? Il en va de
même. L'été, l'air chaud ne peut pas dessécher un sol forestier régulièrement ombré, bien à l'abri sous le couvert des
arbres. Les étudiants de l'université d'Aix-la-Chapelle ont
mis en évidence à quel point l'écart de température pouvait
être important entre une forêt de conifères éclaircie et une
vieille hêtraie naturelle. Lors d'une journée particulièrement chaude du mois d'août où le thermomètre a grimpé
jusqu'à 37 °C dans mon district, la température au sol de
la forêt de feuillus était inférieure de 10 degrés à celle de
la forêt de conifères distante de quelques kilomètres. Cet
abaissement de la température, qui freine l'évaporation
de l'eau, provient, outre de l'ombrage, essentiellement
de la biomasse. Plus une forêt héberge de bois vivant et
mort, plus la couche d'humus du sol est épaisse et plus la
masse totale retient d'eau. L'évaporation produit du froid,
qui à son tour a pour effet de réduire l'évaporation. En
termes plus triviaux : la transpiration d'une forêt intacte
induit un effet identique à celui de la transpiration chez
nous. À défaut d'être visible en forêt, vous pouvez observer le phénomène de la transpiration des arbres sur les

maisons, du moins ses conséquences. Il est fréquent que l'on replante dans son jardin le sapin de Noël en motte que l'on hésitait à jeter. Entouré de soins et d'amour, il grandit et grandit encore jusqu'à dépasser toutes les attentes. Bien souvent, il s'avère qu'il est trop près de la maison. De grandes taches grisâtres apparaissent sur la façade. Pour la maison, les conséquences sont bien plus graves qu'un simple désagrément esthétique. La transpiration de l'arbre produit tant d'humidité que des algues et des mousses se développent sur les murs et les tuiles du toit. Freinée par la végétation, l'eau de pluie s'écoule mal et les morceaux de mousse qui se détachent du toit bouchent la gouttière. Le crépi, saturé d'eau, s'effrite et doit être précocement refait. À l'inverse, les propriétaires de voitures garées sous les arbres n'ont, eux, que des raisons de se réjouir de leur effet régulateur. Quand les températures descendent au-dessous de zéro, il faut gratter le givre qui se dépose durant la nuit sur le pare-brise et les vitres des véhicules qui dorment à découvert, tandis que ceux qui étaient à l'abri sous les houppiers sont prêts à démarrer. Abstraction faite des sérieux dégâts que des arbres peuvent causer à l'extérieur d'un bâtiment, je suis fasciné par la capacité de tant d'espèces, en particulier des épicéas, à influer sur le microclimat de leur environnement. L'influence d'une forêt intacte doit être extraordinaire.

Lorsque l'on transpire beaucoup, boire beaucoup est une nécessité. Et les arbres boivent beaucoup, quelques violentes averses vous donneront l'occasion de l'observer. Celles-ci survenant habituellement en association avec des orages, je ne vous encouragerai pas à aller en forêt pour observer ce phénomène. Mais si, comme moi (pour les besoins de ma profession), vous êtes déjà dehors, ne vous privez pas du spectacle. Les champions des orgies hydriques sont les hêtres. Leurs branches, de même que celles de nombreux feuillus, obliquent vers le haut. Leur houppier sert en effet autant à exposer les feuilles à la lumière du soleil qu'à intercepter et rediriger la pluie. L'eau tombe sur des centaines de milliers de feuilles d'où elle s'égoutte sur les rameaux. Des rameaux, elle s'écoule le long des branches où les minuscules ruissellements se rejoignent et forment un torrent qui dévale le tronc. Au bas du tronc, le courant est si fort que l'eau bouillonne en touchant le sol. Lors d'une grosse pluie d'orage, un arbre adulte peut emmagasiner jusqu'à plus de 1 000 litres d'eau supplémentaires. Dirigé directement vers ses racines grâce à son architecture, ce supplément d'eau s'infiltre dans la terre où il servira à surmonter un ou plusieurs épisodes de sécheresse.

Les épicéas et les sapins seraient bien incapables de faire la même chose. Si les sapins ont l'intelligence de se mêler volontiers aux hêtres, il n'est pas rare que les épicéas, qui préfèrent rester entre eux, se trouvent en manque d'eau. Leurs houppiers sont des parapluies très appréciés des randonneurs. En cas d'averse, il suffit de se serrer autour du tronc pour être à l'abri des gouttes, mais la particularité vaut aussi pour les racines. Jusqu'à 10 litres d'eau au mètre carré (ce qui fait déjà un beau volume) restent suspendus aux aiguilles et aux branches. Dès que la couverture nuageuse se déchire, ils s'évaporent et la précieuse pluie est perdue pour la forêt. Pourquoi les épicéas se comportent-ils ainsi ? Tout simplement parce qu'ils n'ont pas appris à s'adapter au manque d'eau. Leurs zones de prédilection sont les régions froides où l'évaporation terrestre est minime en raison du faible niveau des températures. Ils se plaisent dans les Alpes, près de la limite des arbres, où les importantes précipitations qui s'ajoutent à la fraîcheur font en sorte que le manque d'eau ne soit jamais un problème. Ce qui n'est pas le cas de la neige qui impose aux arbres de développer des branches horizontales ou légèrement inclinées vers le bas afin qu'elles se plaquent les unes sur les autres en cas de lourde charge. Revers de la médaille, le pied de l'arbre n'est pas du tout arrosé, et quand les épicéas poussent dans des zones plus sèches, à des altitudes moins élevées, ce qui est un avantage l'hiver devient un inconvénient. Une grande partie des actuelles forêts de conifères du centre de l'Europe ont été plantées dans des lieux à la convenance de l'homme. Les arbres y souffrent d'un déficit chronique en eau, car le parapluie intégré dont ils sont équipés intercepte et rejette dans l'atmosphère un tiers des précipitations. Dans les forêts de feuillus, le taux d'interception de l'eau est de seulement 15 %.

Irriguer le monde

COMMENT L'EAU PARVIENT-ELLE À LA FORÊT, ou de façon plus générale, comment l'eau parvient-elle au sol? La question est aussi simple que la réponse est complexe. Du moins de prime abord. Une des caractéristiques de la terre ferme est de se trouver au-dessus du niveau de la mer. L'eau s'écoulant par gravité vers le point le plus bas, sans réapprovisionnement permanent, les continents s'assécheraient. Ce réapprovisionnement est fourni par les nuages qui se forment au-dessus des mers puis sont redirigés vers les continents par les vents. Toutefois, ce mécanisme ne fonctionne que jusqu'à quelques centaines de kilomètres à l'intérieur des terres. Plus on s'éloigne des côtes, plus l'environnement devient sec, car les nuages se dissolvent progressivement en pluie et disparaissent. À 600 kilomètres de la mer, le climat devient déjà si sec que les premières zones désertiques apparaissent. La vie ne serait donc possible que sur une bande côtière relativement mince, l'intérieur des continents devenant aride et inhospitalier. En théorie. Grâce aux forêts, la réalité est tout autre.

La forêt est la forme de végétation présentant la plus grande surface foliaire. Chaque mètre carré de forêt correspond à 27 mètres carrés de feuilles et d'aiguilles de houppier[31]. Une partie des précipitations se dépose sur le feuillage et s'évapore presque aussitôt. S'y ajoutent en été jusqu'à 2 500 mètres cubes d'eau par kilomètre carré que les arbres absorbent et rejettent dans l'atmosphère par transpiration. La vapeur d'eau qui en résulte forme de nouveaux nuages qui se déplacent vers le centre des continents et se dissolvent de nouveau en pluie. Le mécanisme se répète à l'infini, de sorte que même les régions les plus éloignées de la mer sont arrosées. Ce système de pompage et de redistribution est d'une efficacité telle qu'en de nombreuses grandes régions du globe, dont le bassin de l'Amazone, le volume de précipitations est quasi identique sur les côtes et à des milliers de kilomètres de la mer. À une condition : qu'il y ait de la forêt, depuis le bord de la mer jusqu'au point le plus reculé du continent. Si jamais le premier maillon fait défaut, s'il n'y a pas de forêt en bord de mer, le système s'effondre. Nous devons la découverte de cette condition décisive à une équipe de scientifiques animée par Anastassia Makarieva, en Russie[32]. Ces chercheurs ont étudié divers types de forêts en de multiples points du globe, et sont partout arrivés aux mêmes conclusions. Qu'il s'agisse d'une forêt tropicale humide ou de taïga, ce sont toujours les arbres qui permettent la progression de l'humidité indispensable à la vie à l'intérieur des terres. Surtout, ils ont mis en évidence que l'ensemble du processus s'interrompait dès que la forêt côtière disparaissait. Un peu comme si la buse d'aspiration d'une pompe électrique était sortie de l'eau. Au Brésil, les effets de la déforestation côtière se font déjà sentir : la forêt tropicale humide amazonienne devient de plus en plus sèche. Au centre de l'Europe, nous nous trouvons dans la bande des 600 kilomètres, donc dans la zone d'aspiration de la pompe. Et même si elles ont été lourdement amputées, nous avons la chance d'avoir encore des forêts.

Les forêts de conifères de l'hémisphère Nord ont à leur disposition un moyen supplémentaire d'exercer une influence sur le climat et les ressources en eau. Les conifères émettent des terpènes, des composés organiques initialement destinés à se prémunir des maladies et des parasites. Les molécules terpéniques libérées dans l'air ont la capacité de condenser l'humidité et d'entraîner ainsi la formation de nuages deux fois plus épais qu'au-dessus de zones non boisées. La probabilité de pluies augmente et la réflexion de la lumière solaire s'accroît d'environ 5 %. Le climat devient localement plus frais : fraîcheur et humidité, cela convient bien aux conifères. C'est grâce à cette interaction que les écosystèmes forestiers seraient si utiles pour freiner le réchauffement climatique[33].

Forêt et eau étant presque indissociables, la régularité des précipitations est de première importance pour nos écosystèmes locaux. Ruisseaux, mares ou forêt, aucun ne peut s'affranchir de l'obligation d'offrir des conditions environnementales aussi constantes que possible à ses occupants. Le *Bythinella* est un cas typique d'intolérance aux grandes variations. Ce minuscule escargot, qui selon les espèces mesure souvent moins de 2 millimètres, adore les eaux froides. Elles ne doivent pas dépasser 8 °C, ce que le passé de plusieurs espèces explique : leurs ancêtres vivaient dans les eaux de fonte des glaciers qui couvraient de nombreuses régions d'Europe lors de la dernière période glaciaire. Les sources limpides présentes en forêt offrent des conditions identiques. L'eau qui en sort est là aussi constamment froide, car elle provient de nappes souterraines. Isolée des températures extérieures par les profondeurs du sol, elle est également fraîche été comme hiver. Aujourd'hui, alors que les grandes étendues glaciaires ont disparu, ces sources constituent un environnement de remplacement idéal pour les *Bythinella*. Il faut toutefois qu'elles soient pérennes, c'est-à-dire qu'elles coulent en permanence du premier au dernier jour de l'année. C'est là que la forêt entre en jeu. Le sol forestier agit comme un grand réservoir qui recueille toutes les précipitations. Les arbres veillent à ce que les gouttes de pluie ne frappent pas le sol trop durement, mais tombent doucement des branches. L'eau s'infiltre en totalité dans la terre perméable, sans former de petits ruisseaux qui lui permettraient de s'évacuer, et elle reste emprisonnée dans le sol. Quand celui-ci est saturé, quand toutes les réserves des arbres sont pleines, l'eau en excédent gagne année après année des couches de plus en plus profondes. Il s'écoule parfois des décennies avant que l'eau retenue dans le sol remonte à la surface. Durant cette longue période, les variations entre épisodes de sécheresse et événements pluvieux se sont estompées et les réserves donnent naissance à une source dont l'eau jaillit avec régularité. Quoique jaillir ne soit pas toujours le terme approprié. La source ne ressemble souvent qu'à une flaque boueuse ou marécageuse qui s'étend jusqu'au premier ruisselet. En regardant de plus près (là, il faut vous accroupir), vous pourrez déceler les minuscules courants qui confirment la présence d'une source. Un thermomètre révélera s'il s'agit d'eau de surface apparue à la suite d'une forte averse ou bel et bien d'eau souterraine. La température est inférieure à 9 °C ? Les chances sont grandes qu'il s'agisse d'une vraie source. Mais qui se promène en permanence avec un thermomètre dans sa poche ? Une alternative (pour les non-frileux) est de planifier ses sorties par froid mordant. En dessous de 0 °C, flaques et eaux de pluie gèlent tandis que les eaux de source continuent de jaillir et de sourdre comme si de rien n'était. C'est là que les

Bythinella ont élu domicile, dans ces eaux où ils bénéficient toute l'année de leur température idéale. Le sol forestier n'est pas seul à garantir la fraîcheur des températures. En été, un biotope de taille aussi réduite pourrait se réchauffer en un rien de temps, au risque de compromettre la survie des *Bythinella*. Mais les couronnes des arbres forment un toit qui plonge le sous-bois dans l'ombre et limite l'ensoleillement des sources.

La forêt offre le même service aux ruisseaux. Pour ces derniers, c'est peut-être encore plus important car, à la différence des sources qui sont alimentées à fraîcheur constante, eux sont exposés à des variations de température. Or les larves de salamandres, par exemple, qui de même que les têtards attendent dans ces ruisseaux d'être aptes à vivre sur la terre ferme, ont les mêmes exigences que les *Bythinella* : l'eau doit demeurer fraîche afin que l'oxygène ne s'en échappe pas. Il ne faut pas non plus qu'elle gèle, au risque de voir toutes les futures salamandres mourir de froid. La seule présence des arbres résout le problème. En hiver, quand le soleil chauffe à peine, les branches dénudées laissent passer toute la chaleur qu'il dispense tandis que le mouvement de l'eau qui circule par monts et par vaux empêche qu'elle gèle complètement. À la fin du printemps, quand le soleil remonte dans le ciel et que l'air se réchauffe, les feuillus qui déploient leurs feuilles tirent les stores sur le ruisseau qui retrouve une ombre bienfaisante. Ce n'est qu'à l'automne, quand les températures baissent, que le ciel s'ouvre de nouveau au-dessus du ruisseau avec la chute des feuilles. Les ruisseaux bordés de conifères ont la vie beaucoup plus difficile. En hiver, il y fait cruellement froid, parfois l'eau gèle complètement et sa température ne remontant que très lentement au printemps, peu d'organismes y trouvent des conditions favorables. Mais les vallons où il fait noir comme dans un four sont rares à l'état naturel, car les épicéas détestent avoir les pieds mouillés et évitent la proximité des ruisseaux. Dans les forêts plantées, évidemment, c'est une autre histoire.

Ce que les ruisseaux gagnent à la présence d'arbres va au-delà du seul effet de régulation thermique. Imaginons qu'un hêtre mort s'abatte en travers du lit du ruisseau et y reste plusieurs dizaines d'années. Il crée un petit barrage qui entraîne la formation de zones d'eaux stagnantes dans lesquelles peuvent s'implanter des espèces qui ne supportent pas le courant. C'est notamment le cas des très discrètes larves de salamandres. Brunâtres tachetées de noir, avec un seul point jaune à la naissance des pattes, elles ressemblent à des petits tritons, si ce n'est qu'elles sont équipées de trois paires de branchies plumeuses. Elles se nourrissent de petits crabes qu'elles guettent, à l'affût dans l'eau froide. La qualité de cette eau doit être irréprochable, et là encore, les arbres morts font le travail. De la boue et des particules en suspension se déposent dans les petites mares de barrage et, conséquence du ralentissement du courant, les bactéries disposent de plus de temps pour dégrader les substances nocives. À ce propos, aucune raison de s'alarmer si, à la suite de fortes pluies, de la mousse apparaît. Ce qui ressemble au résultat d'une atteinte à l'environnement est en réalité dû aux acides humiques qui se mêlent à l'air au niveau des petites cascades. Ces acides, issus de la décomposition du feuillage et du bois mort, sont très précieux pour l'écosystème.

Depuis quelques années, la formation de petites mares en forêt ne dépend plus autant de la chute d'arbres morts. Alors qu'il avait quasiment disparu de nos forêts européennes, le castor, désormais protégé, fait un retour remarqué. Il est permis de douter que les arbres s'en réjouissent, car ce gros rongeur qui peut peser jusqu'à 30 kilos est un bûcheron hors pair. Il est capable d'abattre en une nuit un arbre de 8 à 10 centimètres de diamètre. Pour les sujets plus gros, il divise la tâche en plusieurs phases. Ce sont les rameaux, dont il se nourrit, qui intéressent le castor. Il en fait de grandes réserves en prévision de l'hiver et les stocke dans sa hutte, qui peut mesurer plusieurs mètres de diamètre. Ils lui servent aussi à dissimuler les entrées de son gîte. Précaution supplémentaire, les tunnels d'entrée se trouvent sous l'eau pour que les prédateurs ne puissent y accéder. À l'intérieur, seule la chambre, l'aire de repos, est située au-dessus du niveau de l'eau, et donc toujours sèche. Ce niveau étant soumis à des variations saisonnières, nombre de castors construisent des barrages qui transforment les cours d'eau en grands étangs. Le débit de l'eau qui traverse la forêt s'en trouve ralenti et de vastes zones humides s'installent. Si les aulnes et les saules s'en félicitent, cela scelle la fin des hêtres qui ne supportent pas d'avoir les pieds dans l'eau. Toutefois, même les arbres favorisés par le nouvel environnement ont peu de chance d'atteindre un grand âge dès lors qu'ils cohabitent avec une famille de castors, car ils constituent autant de réserves de nourriture sur pied.

Les castors causent localement des dommages à la forêt, mais grâce à leur régulation des ressources en eau, leur présence demeure néanmoins un atout. Ils jouent par ailleurs un rôle essentiel dans la restauration de la biodiversité en créant des milieux favorables aux espèces dont la survie n'est possible que dans de grandes étendues d'eau stagnante.

Avant de clore ce chapitre, revenons sur la pluie, ressource en eau initiale de la forêt. Autant elle peut donner à une promenade une ambiance mystérieuse et pleine de charme, autant elle peut être désagréable si l'on n'est pas équipé de vêtements adéquats. Tendez l'oreille, les vieilles forêts de feuillus offrent un service météo à court terme d'une grande fiabilité : le pinson des arbres. En temps normal, le chant de ce passereau brun roux à tête grise est une courte série de notes descendantes finissant en fioritures, flûtées et mélodieuses (ne dit-on pas gai comme un pinson ?). Que la pluie arrive, aussitôt le pinson change de registre et ne répète plus qu'une seule note, nette, claire, et moins charmante.

Rapports de force

L'ÉCOSYSTÈME FORESTIER EST SUBTILEMENT ÉQUILIBRÉ. Chaque organisme vivant y a sa niche et chacun y exerce une fonction contribuant au bien de tous. À quelques variantes près, la nature est souvent décrite ainsi, mais c'est une vision fausse des choses. En réalité, dehors, parmi les arbres, c'est le règne de la loi du plus fort. Chaque espèce n'ayant pour seule ambition que de survivre, elle prend chez les autres ce dont elle a besoin. Aucun égard, aucun respect ne sont de mise. Si le système ne s'effondre pas, cela tient uniquement au jeu de mécanismes qui limitent les excès ; et en dernier ressort, la génétique peut également s'en mêler. Le groupe qui est trop avide, qui prend beaucoup sans offrir de contrepartie, se condamne à l'extinction par destruction de ses moyens d'existence. Cela explique que la plupart des espèces aient développé un comportement inné qui préserve la forêt d'une surexploitation de ses ressources. Le cas du geai des chênes, dont nous avons déjà fait la connaissance, est exemplaire. Certes, il se nourrit de glands et de faînes, mais il en enfouit encore plus dans le sol et favorise ainsi les chances de reproduction des arbres.

Une grande forêt profonde est un immense supermarché. Tous les délices y sont en rayons, du moins du point de vue des animaux, des champignons ou des bactéries. Un seul arbre représente des millions de calories sous forme de sucre, cellulose, lignine et glucides. Auxquels s'ajoutent encore de l'eau et des minéraux rares. En fait de supermarché, il serait plus juste de parler de « coffre-fort » car il n'est ici aucunement question de libre-service. La porte est verrouillée, l'écorce étanche et l'on n'accède pas facilement à toutes ces douceurs. À moins d'être un pic. La structure originale de son bec, combinée à des muscles de la tête qui amortissent les chocs, lui permet de piquer les troncs et de tambouriner sans craindre la migraine ni se fatiguer. Au printemps, quand l'eau chargée de mille substances appétissantes fuse dans les arbres et gagne les bourgeons, les pics forent des petits trous dans les troncs de faible diamètre ou les branches. Ces microblessures forment des lignes pointillées par lesquelles l'arbre commence à saigner. Le sang de l'arbre n'est pas spectaculaire, il ressemble à de l'eau. La perte de ce liquide organique n'en est pas moins aussi préjudiciable pour l'arbre que peut l'être une hémorragie pour nous. C'est ce liquide que les pics convoitent et qu'ils réussissent à lécher. En règle générale, à moins que le pic ne se laisse emporter par son enthousiasme et inflige trop de trous au tronc, l'arbre supporte l'agression. Au fil des années, ces alignements de trous évoluent en stries ou en anneaux caractéristiques qui s'enroulent autour du tronc comme des colliers.

Les pucerons sont beaucoup plus paresseux que les pics. Plutôt que de voler infatigablement et de percer des trous ici et là, ils plongent leur rostre* dans les vaisseaux des feuilles

---

* Pièce buccale pointue prolongeant la tête qui permet de percer et aspirer.

et des aiguilles, et, une fois bien accrochés, ils pompent et s'enivrent comme aucun autre animal ne peut le faire. Le sang de l'arbre s'engouffre dans le corps des petits insectes, le traverse puis ressort sous forme de grosses gouttes. Les pucerons doivent absorber de grandes quantités de liquide car il contient très peu de protéines, un nutriment indispensable à la croissance et à la reproduction. Les pucerons filtrent le liquide pour en extraire les protéines qui leur font défaut et excrètent, intacts, les glucides, notamment le sucre, dont ils n'ont pas besoin. C'est ainsi qu'il se met à pleuvoir des pluies collantes sous les arbres colonisés. Vous avez sûrement déjà garé votre voiture sous un platane infesté et tenté de nettoyer le pare-brise d'un coup d'essuie-glace. Pas facile, n'est-ce pas ? Chaque espèce d'arbre a ses parasites attitrés. Chermès des rameaux du sapin pour les sapins, puceron vert de l'épicéa pour les épicéas, *Phylloxera coccinea* pour les chênes ou puceron laineux du hêtre (*Phyllaphis fagi*) pour les hêtres, sont autant de pucerons spécialistes qui sucent la sève de leur hôte et excrètent du miellat. Comme il n'y a pas de place pour tous sur les feuilles, d'autres espèces occupent l'écorce qu'elles percent patiemment pour accéder aux vaisseaux dans lesquels circule la sève. Ces pucerons de l'écorce, comme la cochenille du hêtre, signalent leur présence par un feutrage cireux blanc argenté qui parfois ponctue la totalité des troncs. Pour l'arbre, ces dépôts sont l'équivalent de la gale pour nous. Ils provoquent des lésions suintantes qui peinent à se résorber et entraînent la formation de boursouflures et de rugosités. Les lésions permettent aussi l'invasion de champignons et de bactéries qui peuvent affaiblir l'arbre au point de le tuer. Pas étonnant qu'il produise des substances répulsives pour se protéger des intrus. Si malgré tout l'infestation persiste, l'arbre renforce son système de défense en formant une écorce plus épaisse qui finit par le débarrasser des pucerons. La protection ainsi acquise perdure quelques années et l'arbre n'a plus à redouter de nouvelles invasions, du moins temporairement. Mais les risques d'infestation ne sont pas le seul inconvénient des pucerons. Leur formidable appétit entraîne une non moins formidable perte de substances nutritives. À force de pomper, les redoutables petites bestioles sont capables de soustraire aux arbres plusieurs centaines de tonnes de sucre pur par kilomètre carré de forêt, sucre qui leur fera défaut pour se développer ou constituer des réserves pour l'année à venir.

Les pucerons n'en sont pas moins une bénédiction pour de nombreux animaux. Certains insectes s'en délectent, dont la coccinelle qui avale un puceron après l'autre. La fourmi rousse des bois, en revanche, s'intéresse essentiellement au miellat qu'elle prélève directement à la source, à l'extrémité de l'abdomen du puceron. Pour en accélérer la production, elle tâte ce dernier avec la pointe de ses antennes, ce qui déclenche une excitation qui force le puceron à uriner. Et afin qu'aucun autre voleur n'ait l'idée de boulotter des colonies de pucerons aussi précieuses, les fourmis garantissent leur sécurité. C'est un véritable petit élevage qu'elles entretiennent dans les houppiers. Ce qu'elles ne peuvent pas exploiter n'est pas perdu. La pellicule sucrée qui se dépose sur la végétation autour de l'arbre infesté est rapidement colonisée par des champignons et des bactéries. Une sorte de moisi se forme qui donne sa couleur noire à la pellicule.

Nos abeilles mellifères sont elles aussi friandes des déjections de pucerons. Elles aspirent les gouttes sucrées, les transportent jusqu'à l'essaim, les régurgitent et les transforment en un miel de forêt de couleur sombre, presque noir à l'état liquide. Il est particulièrement apprécié des consommateurs, bien que très différent du miel de fleurs.

Chez les guêpes à galles et les cécidomyies, une famille de moucherons, la procédure est plus sophistiquée. Plutôt que de piquer les feuilles, elles les reprogramment. Les animaux adultes pondent leurs œufs sur les feuilles de hêtres ou de chênes. Une fois écloses, les larves commencent à manger la feuille qui, sous l'action des composés chimiques contenus dans leur salive, fabrique une enveloppe protectrice. La galle peut avoir la forme d'un gros pépin pointu, chez le hêtre, ou être ronde comme une bille, chez le chêne ; à l'intérieur, les rejetons des insectes y sont protégés de leurs prédateurs, ils grignotent et grandissent bien à l'abri. À l'automne, les galles tombent au sol, entraînant dans leur chute les petits occupants ; ceux-ci se transforment en nymphes qui écloront au printemps. La pullulation de galles est parfois impressionnante, notamment chez les hêtres, mais cela n'occasionne que peu de troubles chez les sujets colonisés.

Les chenilles, elles, n'ont pas de goût particulier pour le miellat ; ce qui les intéresse, ce sont les feuilles ou les aiguilles dans leur totalité. Lorsque leur présence se limite à quelques individus, les arbres n'en souffrent pas, mais des infestations massives se produisent par cycles, à intervalles réguliers. J'en ai fait l'expérience il y a quelques années dans un peuplement de chênes de mon district. C'était en juin, et quel choc en découvrant les arbres d'un versant escarpé, orienté au sud. Les jeunes feuilles avaient presque totalement disparu, la forêt était dénudée comme en hiver. En descendant de ma Jeep, j'ai entendu un crépitement, comme s'il pleuvait à verse. Le ciel étant uniformément bleu, la météo n'y était pour rien. En fait, ce qui tombait du ciel, sur le sol, mes épaules, ma tête, c'était des milliers de minuscules boulettes noires : les excréments des chenilles de la tordeuse verte du chêne qui avaient envahi le peuplement par millions. Beurk ! Un phénomène identique se reproduit année après année dans les grandes forêts de pins de l'est et du nord de l'Allemagne. La pullulation de certaines espèces de papillons, comme la nonne ou la fidonie du pin, est encouragée par la monoculture des forêts plantées. La plupart du temps, des pathologies virales ramènent ensuite les populations de ravageurs dans des limites acceptables.

La voracité des chenilles s'achève en juin. Les arbres dénudés mobilisent alors leurs dernières réserves pour former de nouvelles feuilles. Habituellement, cela fonctionne bien ; quelques semaines plus tard, c'est tout juste si l'on devine ce qui s'est passé. La croissance de l'arbre va s'en trouver réduite, ce qui s'observera plus tard dans la minceur du cerne annuel du bois. Pour autant, si les arbres sont attaqués et complètement défeuillés deux ou trois années de suite, nombre d'entre eux, à bout de forces, n'y survivront pas. Outre les chenilles de fidonies, les pins sont également très appréciés des diprions, dont les larves, des fausses chenilles à l'appétit phénoménal, sont capables de grignoter jusqu'à douze aiguilles par jour, ce qui peut vite devenir problématique.

Nous avons vu dans le chapitre sur le langage des arbres que les ormes ou les pins émettent des substances odorantes pour attirer les prédateurs spécifiques des ravageurs dont ils veulent se débarrasser. Le merisier est adepte d'une autre stratégie. Ses feuilles portent à leur base, sur le pétiole, deux petites glandes à nectar qui excrètent le même liquide sucré que celui contenu dans les nectaires des fleurs. Celui-là est destiné aux fourmis qui passent une grande partie de l'été sur l'arbre. Ces fourmis sont comme nous : elles aiment bien le sucré, mais elles apprécient aussi, de temps à autre, des mets plus roboratifs. Pour elles, ce sont des chenilles, et c'est ainsi qu'elles libèrent l'arbre de ses hôtes indésirables. Il est vrai que cela ne fonctionne pas toujours comme le merisier le souhaite. Il est certes débarrassé des chenilles, mais il arrive que les fourmis ne se satisfassent pas de la quantité de nectar à leur disposition et qu'elles démarrent un élevage de pucerons. Les petits insectes piquent les feuilles et dès que les fourmis les tâtent avec la pointe de leurs antennes, ils leur délivrent, goutte par goutte, le liquide sucré.

Les scolytes, ravageurs redoutés entre tous, ne font pas dans le détail. Les individus affaiblis sont leurs premières victimes. Une fois leur dévolu jeté sur un arbre, c'est «tout ou rien». Soit l'attaque d'un unique insecte réussit et il émet des substances odorantes pour appeler des congénères qui arrivent par centaines et tuent l'arbre. Soit le premier insecte à s'introduire est tué par l'arbre et les espoirs d'agapes s'envolent pour tous les autres. L'objet de la convoitise est le cambium, la fine couche de couleur pâle située entre l'écorce et le bois. C'est le siège de l'accroissement de l'arbre, là où les cellules se divisent et produisent vers l'intérieur des cellules de bois et vers l'extérieur des cellules d'écorce. Le cambium est juteux, bourré de sucre et de sels minéraux. Faites l'expérience, goûtez-en. Il est comestible, au besoin nous pourrions même nous en nourrir. Si vous croisez sur votre chemin, au printemps, un épicéa fraîchement abattu par le vent, décollez un bout d'écorce avec un canif, puis en tenant la lame à plat, découpez de longues bandes d'un centimètre de large. Le cambium a un goût légèrement résiné de carotte et est très nourrissant. C'est aussi l'avis des scolytes qui creusent des galeries dans l'écorce pour déposer leurs œufs à proximité immédiate de cette source d'énergie. L'endroit est idéal pour les larves qui mangent, grossissent et grandissent bien à l'abri de leurs ennemis. Les épicéas en bonne santé se défendent par l'émission de terpènes et de substances phénoliques qui repoussent, voire anéantissent les ravageurs. Si cela ne suffit pas, ils peuvent engluer les insectes dans des gouttes de résine. Des chercheurs suédois ont toutefois découvert qu'entre-temps les coléoptères avaient peaufiné leur armement. Les scolytes débarquent désormais avec plus de champignons accrochés sur leur corps (sous forme de spores ou de fragments de mycélium) qui pénètrent à leur suite à l'intérieur de l'arbre. Une fois sous l'écorce, ils attaquent les défenses chimiques des épicéas et les transforment en substances inoffensives. Comme les champignons se développent plus vite que les scolytes creusent, ils ont toujours un léger temps d'avance sur eux. Résultat : les ravageurs progressent en terrain détoxiqué et ils peuvent manger tout leur soûl[34]. Dès lors, plus rien ne s'oppose à une invasion massive, et les jeunes coléoptères qui éclosent par milliers peuvent même finir par attaquer des arbres sains. De nombreux épicéas ne résistent pas à une infestation de cette ampleur.

Les grands herbivores procèdent avec moins de subtilité. Ils consomment plusieurs kilos de nourriture par jour, or, dans les forêts profondes, elle est rare. Peu de végétation se développe au niveau du sol en raison du manque de lumière, quant aux savoureuses feuilles des houppiers, elles sont hors de portée. Les populations de chevreuils et de cerfs sont naturellement peu importantes dans ces écosystèmes. Mais dès qu'un vieil arbre tombe, leur chance tourne. Le sol est alors baigné de lumière plusieurs années de suite, pour le plus grand bénéfice des petits arbres qui vont pouvoir se développer en même temps que des graminées et des plantes herbacées. Les cervidés se précipitent sur ces îlots de verdure et font un sort à la végétation. La lumière s'accompagne d'une production de sucre qui rend les jeunes arbustes attractifs. En temps normal, dans la pénombre du couvert de leur mère-arbre, leurs pitoyables petits bourgeons sont à peine alimentés. Le peu dont les jeunes ont besoin pour survivre en phase d'attente, leurs parents le leur perfusent par les racines. En l'absence de sucre, les bourgeons secs, amers et durs sont délaissés par les chevreuils. Que le soleil arrive et les tendres arbustes s'épanouissent. La photosynthèse fonctionne à plein, les feuilles s'épaississent et deviennent plus juteuses, les bourgeons qui se forment durant l'été pour le printemps suivant sont gros et riches en nutriments. Et il faut qu'ils le soient, car les jeunes qui attendaient leur tour sont déterminés à se surpasser pour pousser en hauteur avant que la fenêtre de lumière se referme. Ce coup d'accélérateur n'échappe pas aux chevreuils qui n'ont aucune intention de renoncer à pareils délices. Une course de quelques années entre les jeunes arbres et les animaux démarre. Les enfants hêtres, chênes ou sapins parviendront-ils à grandir à une allure telle que les museaux des chevreuils n'atteindront plus la pousse terminale, déterminante pour la suite de leur croissance ? Habituellement, sur un petit groupe d'arbustes, il y a toujours quelques individus qui s'en sortent sains et saufs et filent vers la lumière. Ceux dont la pousse terminale n'a pas été épargnée sont tordus et se développent de guingois. Vite dépassés par leurs concurrents intacts, ils meurent faute de lumière et retournent à l'état d'humus.

Si l'on considère sa seule taille, l'armillaire est un grand, très grand prédateur. Les fructifications qui apparaissent à l'automne sur les troncs paraissent anodines, mais c'est un leurre. Sept espèces d'armillaires présentes dans nos forêts, difficiles à distinguer les unes des autres, sont des ennemies des arbres : leur mycélium pénètre dans les racines de nombreuses espèces d'arbres, dont les épicéas, les hêtres et les chênes. Une fois dans les racines, il pousse dans le tronc, sous l'écorce, où il prend l'aspect de palmettes blanches et plates caractéristiques. Le butin qu'il dérobe, au début essentiellement du sucre et des substances nutritives puisés dans le cambium (la mince couche d'écorce la plus proche du bois), est transporté dans d'épais cordons. Ces canaux de couleur noire, ressemblant à des racines, sont une curiosité dans l'univers des champignons. Mais les armillaires ne se satisfont pas des seuls sucres ; après les racines et le cambium, ils se propagent au bois, entraînant la pourriture de l'arbre désormais condamné à mort à brève échéance.

Le monotrope sucepin, qui appartient à la famille des éricacées, procède beaucoup plus subtilement. Dépourvu de toute verdure, il ne développe qu'une tige herbacée surmontée d'une fleur jaunâtre insignifiante. Une plante qui n'est pas verte ne contient pas de chlorophylle et ne peut pas effectuer la photosynthèse. Ne pouvant fabriquer son alimentation lui-même, le monotrope sucepin dépend d'une aide extérieure. Il la trouve en s'infiltrant parmi des champignons mycorhiziens, c'est-à-dire associés aux racines, et comme il n'a pas d'exigence en matière de lumière, il est tout à fait à son aise même parmi les plus sombres peuplements d'épicéas. Là, il se branche sur les flux de substances nutritives qui circulent entre les arbres et les champignons et aspire ce dont il a besoin. Le mélampyre des forêts procède de façon similaire, mais peut-être plus insidieusement. Il s'alimente en toute discrétion en se connectant au réseau racines-champignons de l'épicéa, que lui aussi affectionne particulièrement. Ses parties extérieures sont vertes, comme il se doit pour un végétal herbacé, et elles peuvent transformer un peu de lumière en dioxygène et en sucre. Mais c'est surtout un alibi, ou un camouflage destiné à détourner l'attention de ses activités souterraines.

Les arbres ont bien plus à offrir que de la nourriture. Les jeunes individus sont malmenés par les animaux qui s'en servent comme de brosses à récurer. Tous les étés, les chevreuils et les cerfs mâles doivent frotter leurs nouveaux bois pour en faire tomber le velours. Ils se mettent en quête de petits arbres, suffisamment gros pour ne pas se casser tout en étant suffisamment minces pour présenter un peu de souplesse. Le bon outil trouvé, les seigneurs de la forêt frottent et refrottent leurs bois plusieurs jours durant jusqu'à ce que la dernière parcelle de peau veloutée soit tombée. Entre-temps, l'écorce de l'arbuste est elle aussi tombée et il est exceptionnel que les arbres qui ont involontairement offert leurs services y survivent. Dans le choix de leurs arbres à frottis, les chevreuils et les cerfs sont sélectifs. Quelle que soit l'espèce – épicéa, hêtre, sapin ou chêne –, il s'agit toujours d'une essence localement rare. À croire que l'odeur de l'écorce frottée agit comme un parfum exotique. Ne sommes-nous pas, nous aussi, fortement attirés par ce qui est rare?

Dès que le tronc atteint 10 centimètres de diamètre, parfois plus tôt, il ne fait plus l'affaire. L'écorce est devenue si épaisse qu'elle résiste aux assauts des cervidés. En gagnant en centimètres, les troncs sont de surcroît devenus raides comme des piquets et ils ont perdu l'élasticité qui permettait aux ramures de s'embrocher dessus pour parfaire leur nettoyage. Cependant, parmi les cervidés, les cerfs ont un autre besoin. Si cela ne tenait qu'à eux, ils ne vivraient pas en forêt car ils se nourrissent principalement d'herbe. Celle-ci étant une rareté dans les forêts naturelles et en tout état de cause jamais en quantité suffisante pour subvenir aux besoins d'une harde entière, les majestueux animaux préféreraient les milieux herbeux ouverts de type steppe. Mais les vallées fluviales où les hautes eaux ont contribué à la formation de prairies ouvertes sont déjà occupées par les hommes. Le moindre mètre carré est soit urbanisé, soit exploité par l'agriculture. Les cerfs se sont donc repliés sur les massifs forestiers, qu'ils quittent tout au plus la nuit. En tant qu'herbivores et ruminants, ils ont besoin vingt-quatre heures sur vingt-quatre d'une nourriture riche en fibres, alors quand ils n'ont rien de mieux à se mettre sous la dent, ils mangent de l'écorce. En été, quand l'arbre est gorgé d'eau, son enveloppe se laisse facilement décoller. Les animaux mordent dedans avec leurs incisives (seulement présentes sur la mâchoire inférieure) et tirent de bas en haut pour arracher des bandes entières. En hiver, quand les arbres sont au repos et l'écorce sèche, ils ne parviennent à ronger que quelques petits copeaux. Quelque forme qu'il prenne, en plus d'être extrêmement douloureux, cet écorçage peut être fatal aux arbres. Les immenses plaies ouvertes qui en résultent offrent des boulevards aux champignons, qui peuvent envahir de grandes surfaces et rapidement décomposer le bois. L'étendue des blessures est trop importante pour qu'elles puissent être recouvertes et cicatriser en peu de temps. Si l'arbre a bénéficié de conditions naturelles et a poussé très lentement, il peut surmonter des revers de fortune de cette gravité. Son bois, qui ne présente que de minuscules cernes annuels, est si dur et si dense que les champignons ont toutes les peines du monde à le pénétrer. J'ai souvent vu de ces arbres adolescents qui des décennies plus tard étaient parvenus à recouvrir leurs plaies. Il n'en va malheureusement pas de même des arbres plantés de nos exploitations forestières. Ils ont habituellement poussé très vite, leurs cernes annuels sont larges et leur bois contient beaucoup d'air. De l'air et de l'humidité : c'est idéal pour des champignons. Et ce qui devait arriver arrive : l'arbre endommagé rend les armes prématurément. Il n'y a que les petites blessures survenues pendant l'hiver qu'il parvient à refermer sans en garder de séquelles durables.

Logements sociaux

SI LES ARBRES ADULTES SONT TROP GROS POUR LES USAGES décrits plus haut, ils sont utiles à quantité d'autres animaux. Les plus grands constituent des logements convoités, mais y accéder se mérite ; ce n'est pas un service que les arbres rendent volontiers. Les oiseaux, martres et chauves-souris ont une préférence marquée pour les troncs des vieux individus, au diamètre plus large. En effet, ces derniers possèdent d'épaisses parois qui isolent correctement de la chaleur et du froid. Le premier coup de pioche, c'est le cas de le dire, est habituellement donné par un pic épeiche ou un pic noir. Il creuse un trou dans le tronc, mais seulement de quelques centimètres de profondeur. Contrairement à la croyance trop répandue qui voudrait qu'ils ne creusent que des arbres morts, les pics recherchent souvent des individus sains. Iriez-vous vous installer dans un vieux bâtiment délabré quand la perspective d'un beau logement neuf s'offre à vous juste à côté ? Les pics aussi préfèrent que leur maison soit solide et dure dans le temps. Ils sont maîtres dans l'art de piquer et de creuser le bois sain, mais devoir achever les travaux en peu de temps serait au-dessus de leurs forces. Ils piochent donc un peu le tronc puis ils s'accordent une pause de plusieurs mois et comptent sur l'aide de champignons. Pour ces derniers, l'invitation est une aubaine, car en temps normal ils ne peuvent pas franchir la barrière de l'écorce. Trop heureux de l'occasion, ils s'empressent de coloniser l'ouverture et commencent à dégrader le bois. Pour l'arbre, c'est une double agression, pour le pic, un partage bien compris du travail. Quelque temps plus tard en effet, les fibres du bois sont si tendres que les travaux peuvent reprendre sous les meilleurs auspices. Un jour arrive où la loge est prête à être habitée. Mais le pic noir, qui est gros comme une corneille, a de grandes exigences et il construit encore plusieurs cavités avant d'emménager. Une première sera destinée à la couvaison, une deuxième au repos et les autres à changer de décor. Les cavités sont rafraîchies tous les ans, ce dont témoignent les éclats de bois aux pieds des arbres. Ces travaux de rénovation sont une nécessité car, une fois dans la place, plus rien n'arrête les champignons. Ils progressent toujours un peu plus dans le tronc où ils transforment le bois en mull, un terreau humide peu adapté à la nidification. À chaque fois qu'il entreprend de nettoyer ce surplus indésirable, le pic agrandit un peu sa loge. Arrive un jour où celle-ci est trop grande et surtout trop profonde pour les oisillons qui doivent grimper jusqu'à l'ouverture pour prendre leur envol. C'est le moment de laisser la place aux suivants. Les nouveaux occupants sont des espèces qui ne savent pas construire dans le bois, comme la sittelle torchepot. Elle est plus petite que les pics mais elle leur ressemble, pique de la même façon le bois mort pour en extraire des larves de coléoptères et installe volontiers son nid dans les loges qu'ils ont abandonnées. Il faut toutefois qu'elle procède à quelques modifications, notamment qu'elle réduise la taille du trou d'entrée, si grand qu'il permettrait le passage de ses ennemis. Pour qu'aucun prédateur ne puisse venir dérober sa nichée, elle enduit artistiquement l'orifice de boue argileuse jusqu'à ce qu'elle seule puisse passer. À ce propos : les arbres offrent un autre service à leurs petits occupants. Les fibres du bois ont la particularité de propager les sons de manière remarquable, d'où l'emploi du matériau pour les instruments de musique comme les violons et les guitares. Vous voulez en faire l'expérience ? Posez votre oreille sur le tronc d'un grand arbre abattu, côté houppier, et demandez à quelqu'un de gratter douce-ment l'écorce ou de frapper des petits coups avec une pierre à l'autre extrémité du tronc. Les sons produits vous parviendront avec une étonnante netteté à travers le bois, mais vous n'entendrez plus rien dès que vous décollerez votre oreille du tronc. Les oiseaux qui nichent dans les cavités utilisent cette propriété du bois comme système d'alarme. Dès qu'une martre ou un écureuil grimpe dans l'arbre, le bruit de leurs griffes se propage jusqu'en haut de l'arbre et les oiseaux ont une chance de leur échap-per. Si des poussins occupent le nid, ils peuvent tenter de détourner les agresseurs, il est vrai avec peu de chance de réussir. Mais au moins les parents restent en vie et peuvent compenser la perte par une nouvelle ponte.

Les chauves-souris ont d'autres soucis que d'assurer leur descendance. Ces petits mammifères doivent pouvoir dis-poser de plusieurs cavités à la fois pour élever les chauves-souriceaux. Chez le vespertilion de Bechstein, ils sont élevés en commun par des petits groupes de femelles. Ces colonies maternelles ne restent que quelques jours dans une cavité avant de déménager pour une autre. Si elles logeaient toute une saison dans les mêmes cavités, les populations de parasites qui les accablent se multiplieraient de façon exponentielle, leur rendant la vie impossible. Déménager à un rythme accéléré permet de limiter l'infestation et de laisser les parasites derrière elles.

Trop grosses pour se faufiler dans les trous de pics, les chouettes doivent patienter quelques années avant de pouvoir investir une loge désertée. Durant ce laps de temps, l'arbre continue de se dégrader ; parfois le tronc s'ouvre un peu plus et l'entrée s'agrandit. Le processus est plus rapide quand il s'agit d'arbres à trous, nom donné aux arbres-immeubles dans lesquels les pics ont creusé des loges les unes au-dessus des autres. La détérioration par la pourriture se poursuit, agrandissant ces loges qui finissent par communiquer les unes avec les autres et former une belle cavité prête à accueillir hulottes et autres chouettes.

Et l'arbre dans tout cela ? Il tente désespérément de résister. À vrai dire, il y a longtemps qu'il est trop tard pour agir contre les champignons qui prennent leurs aises depuis des années. Mais s'il réussit à maîtriser l'expansion de ses blessures externes, il peut prolonger sa vie de nombreuses décennies. Il continuera de pourrir intérieurement, mais il demeurera aussi droit et stable qu'un tube en acier et pourra vivre encore plus de cent ans. Ses efforts sont reconnaissables aux bourrelets qui bordent les trous d'entrée des loges de nidification. Il est rarissime qu'un arbre parvienne à totalement refermer un orifice. Le petit bâtisseur fore impitoyablement le nouveau bois pour rouvrir le trou.

Le tronc en décomposition devient l'habitat d'une communauté complexe. Les fourmis noires des bois sont parmi les premières à arriver. Elles colonisent le bois vermoulu, puis le rongent et le mâchent pour construire des nids à l'aspect de carton. Les parois intérieures sont imbibées de miellat, le liquide sucré qu'excrètent les pucerons. Des champignons, dont le réseau rigidifie la construction, se développent sur ce substrat. L'existence d'un nombre infini d'espèces de coléoptères est liée au mull, le matériau en décomposition à l'intérieur de la cavité. Leurs larves mettant plusieurs années à atteindre l'âge adulte, elles ont donc besoin de conditions environnementales stables et durables, c'est-à-dire d'arbres qui résistent des décennies avant de mourir et demeurent longtemps sur place. Du fait de cette longévité, leurs cavités attirent des champignons et d'autres insectes qui alimentent en permanence le mull en déjections et miettes de bois tombant en pluie du haut des parois. Les chauves-souris, les chouettes et les loirs laissent eux aussi leurs déjections tomber dans les profondeurs du tronc creux. Le terreau humide que constitue le mull est ainsi constamment enrichi en éléments nutritifs, une nourriture particulièrement prisée des *Ischnomera sanguinicollis*[35], ou bien des larves du pique-prune, un coléoptère noir d'aspect massif qui peut mesurer jusqu'à 4 centimètres*. Le pique-prune est un paresseux qui reste volontiers toute sa vie durant au pied du même tronc vermoulu, dans l'obscurité d'un trou. Comme il est peu apte au vol ou à la marche, plusieurs générations d'une même famille peuvent se succéder au fil des décennies au sein de l'arbre hôte. On comprend mieux, dès lors, combien il est important de préserver les vieux arbres en fin de vie. Si on en débarrasse la forêt, ces gros scarabées n'auront jamais la force de franchir les un ou deux kilomètres qui les séparent d'un nouvel hôte potentiel.

Le jour où l'arbre baisse les armes et succombe sous les bourrasques d'une tempête, il n'aura pas vécu pour rien.

* En France, le pique-prune s'est rendu célèbre en interrompant le chantier de l'autoroute A28 pendant six ans. Voir http://www.lemonde.fr/planete/article/2010/08/14/le-pique-prune-scarabee-amateur-de-vieux-arbres-seme-la-discorde-chez-les-hommes_1398986_3244.html, consulté le 10 juin 2016.

Même si le lien précis de causes à effets est encore à l'étude, nous savons déjà que l'augmentation de la biodiversité induit une stabilisation de l'écosystème forestier. Plus les espèces présentes sont nombreuses, moins le risque est grand que l'une d'elles se développe au détriment des autres, car il se trouve toujours un adversaire pour se mettre en travers de son chemin. Et même mort, nous l'avons vu dans le chapitre sur la «climatisation», du fait de la seule présence de son cadavre, l'arbre peut encore contribuer aux ressources en eau des arbres vivants.

Les garants de la biodiversité

LA PLUPART DES ANIMAUX LIÉS AUX ARBRES NE LEUR FONT aucun mal. Ils profitent uniquement des milieux particuliers qu'offrent les troncs ou les houppiers dont les conditions d'ensoleillement et les différentes zones humides créent des petites niches écologiques. Un nombre infini de spécialistes trouvent ici leur habitat. Les étages supérieurs de la forêt sont parmi les moins explorés par les scientifiques pour la simple raison que leur accès nécessite l'installation de grues ou d'échafaudages coûteux à mettre en place. Pour limiter les dépenses, il peut arriver que des méthodes radicales soient mises en œuvre. Ce fut le cas il y a quelques années, lorsque Martin Gossner, un biologiste spécialiste des arbres, a passé au pulvérisateur le plus gros arbre du parc national de la forêt bavaroise, un vénérable individu de 600 ans, 52 mètres de hauteur et 2 mètres de diamètre*. Le produit utilisé était du pyrèthre, un insecticide qui a eu pour effet de faire passer de vie à trépas la totalité des araignées et des insectes qui occupaient le

---

* Le diamètre du tronc d'un arbre se mesure à 1,30 mètre du sol, soit à hauteur de poitrine, et se note DHP (diamètre à hauteur de poitrine)

houppier et qui ont tous dégringolé par terre. Au moins preuve était faite de la grande diversité d'espèces vivant dans les cimes : 2 041 animaux appartenant à 257 espèces différentes furent dénombrés par Martin Gossner[36].

Les couronnes présentent même des biotopes humides particuliers. Lorsque le tronc se sépare en deux sections et forme une fourche, l'eau de pluie stagne dans le point bas de la division. Cette mini-mare est l'habitat de larves de moustiques dont se nourrissent de rares espèces de coléoptères. Lorsque les précipitations s'accumulent dans les cavités du tronc, le milieu devient moins accueillant pour la faune. Il y fait sombre, et le jus épais et trouble qui y stagne contient très peu d'oxygène. Les larves qui se développent dans l'eau ne peuvent pas respirer dans un tel milieu, à moins qu'elles ne soient équipées d'un tuba, comme la progéniture du *Mallota fuciformis*, un arthropode de la famille des syrphes. Elles peuvent déployer leur tube respiratoire comme un périscope et ainsi survivre dans ces minuscules poches d'eau où hormis des bactéries, dont on suppose qu'elles se nourrissent, elles sont quasiment les seuls êtres vivants[37].

Tous les arbres ne sont pas transformés en « arbres à trous » par les pics et tous ne se décomposent pas lentement, sur plusieurs décennies, en offrant le gîte et le couvert à de multiples espèces spécialisées. Pour de nombreux individus, la fin de vie est brutale : une tempête les abat ou des scolytes détruisent leur écorce en quelques semaines, provoquant le dessèchement du feuillage. L'écosystème de l'arbre s'en trouve bouleversé. Les animaux et les champignons qui sont assujettis soit à l'humidité fournie par les vaisseaux de l'arbre, soit aux sucres en provenance du houppier, doivent quitter le cadavre ou mourir à leur tour. Un petit monde cesse d'exister. Ou bien un nouveau voit-il le jour ?

Un arbre qui meurt ne disparaît jamais tout à fait. Le corps mort continue d'être indispensable au cycle naturel de la forêt. Les substances nutritives que l'arbre a puisées dans le sol et stockées dans son bois et son écorce pendant des siècles constituent un trésor d'une grande richesse pour ses enfants. Mais y accéder n'est pas facile. Sans le concours d'autres organismes, ils ne peuvent en tirer profit. Dès que l'arbre est au sol, une course de relais s'engage pour des milliers d'espèces de champignons et d'insectes. Chacune est spécialiste d'un stade précis de décomposition et, ici aussi, d'une partie précise de l'arbre. Cela explique qu'elles ne peuvent jamais mettre en danger des arbres vivants, beaucoup trop coriaces pour elles. Ce qu'elles aiment, ce sont les fibres de bois tendres, les cellules pourries, molles et humides. Elles prennent leur temps, autant pour s'alimenter que pour achever leur croissance, ainsi qu'en témoigne le lucane cerf-volant. Sa propre vie d'insecte adulte ne dure que quelques semaines, le temps de s'accoupler. La vie de sa larve, en revanche, qui grignote lentement des racines de feuillus en cours de décomposition, est beaucoup plus longue. Elle peut mettre jusqu'à huit ans avant d'atteindre le stade où, grasse et dodue, elle est en mesure de se transformer en nymphe.

Les champignons consoles sont tout aussi lents. Ils s'appellent ainsi parce qu'ils s'accrochent au tronc des arbres morts comme des petites étagères plus ou moins circulaires. Le polypore marginé est l'un d'entre eux. Il se nourrit des fibres blanches de cellulose du bois qu'il transforme en grumeaux marron friables. Ses fructifications en forme de demi-soucoupes sont toujours fixées à l'horizontale sur le tronc colonisé. Cette position est indispensable à l'écoulement, au printemps, par les petits tubes situés sous le chapeau, des spores nécessaires à sa reproduction. Si l'arbre vermoulu tombe au sol, le champignon scelle ses pores avec une sorte de cire et poursuit sa croissance perpendiculairement à la première fructification afin de former une nouvelle console horizontale.

Le combat féroce que se livrent certains champignons pour l'accès à la source de nourriture se lit à la coupe d'un tronc mort. La tranche présente des zones marbrées plus ou moins foncées délimitées par des lignes noires continues. Chaque nuance de marbrure correspond à l'une des espèces de champignons à l'œuvre dans le bois. Les lignes noires, elles, correspondent aux lignes de front, la barrière de polymères que chacune érige autour de son territoire pour en interdire l'accès aux autres espèces.

Au total, un cinquième des espèces animales et végétales sont inféodées à la présence de bois mort, ce qui correspond à environ 6 000 espèces actuellement connues[38].

Nous avons vu que ces espèces étaient utiles aux cycles des éléments nutritifs et de la matière organique, mais sont-elles réellement sans danger pour la forêt? Quelle garantie a-t-on qu'elles ne se rabattraient pas sur des arbres vivants, en l'absence de bois mort en quantité suffisante? Je suis souvent interpellé à ce sujet et il y a encore ici et là des propriétaires forestiers privés qui préfèrent nettoyer leurs sous-bois par crainte d'une propagation des parasites. C'est pourtant superflu. Ce débarras a surtout pour effet de détruire inutilement des habitats précieux, car les petits occupants du bois mort seraient incapables de prospérer dans du bois sain, trop humide, trop dur et trop riche en sucre. Sans compter que les hêtres, les chênes ou les épicéas ne se laissent pas coloniser facilement. Dans leur milieu naturel, des arbres sains correctement alimentés résistent à presque toutes les attaques. Et l'armada de petites bestioles, pour autant qu'elle trouve à se loger, participe activement à la lutte. Le bois mort peut même être directement utile aux arbres, car le tronc couché devient parfois le berceau de sa descendance. Le cadavre de leurs parents constitue en effet un excellent substrat de germination pour les graines d'épicéa. C'est ce que les scientifiques nomment la régénération naturelle sur bois mort. Le bois en décomposition retient très bien l'eau et une partie des substances nutritives qu'il contenait est déjà remise à disposition par les champignons et les insectes. Seul inconvénient : la durée de vie limitée du bois mort qui se décompose jusqu'à redevenir humus et disparaître dans le sol. Les racines des petits arbres dont il a favorisé le développement sont progressivement mises au jour et perdent leur ancrage. Mais le processus se déroule sur plusieurs décennies et les ramifications racinaires s'enfoncent dans le sol à la suite du bois en décomposition. Au fil des années, le tronc des épicéas qui ont grandi dans ces conditions finit par être porté par des sortes d'échasses, d'où le nom de racines-échasses, dont la hauteur révèle le diamètre du tronc de la mère-arbre qui les a vus naître.

Quand l'hiver arrive

À LA FIN DE L'ÉTÉ, UNE ATMOSPHÈRE SINGULIÈRE RÈGNE sur la forêt. Les houppiers ont troqué leur vert luxuriant contre un vert pâle tirant sur le jaune. Chaque jour les arbres sont plus nombreux à donner l'impression d'être épuisés et d'attendre la fin d'une saison qui les a vidés de leur énergie. Le temps est venu d'une pause bien méritée, comme pour nous après une journée de travail intense.

Les ours bruns hibernent, les tout petits muscardins font de même, mais les arbres ? Vivent-ils quelque chose qui s'apparenterait à un repos, voire à notre sommeil nocturne ? L'ours brun est un bon sujet de comparaison, car sa stratégie présente de nombreux points communs avec celle des arbres. En été et au début de l'automne, il mange beaucoup pour constituer l'épaisse couche de graisse sur laquelle il vivra pendant l'hiver. Les arbres ne font pas autre chose. Bien sûr, ils ne se gavent pas de myrtilles ni de saumon, mais ils emmagasinent autant de soleil que possible pour synthétiser les sucres et les substances nutritives dont ils font des réserves, comme l'ours. Il n'est pas question pour eux de devenir plus gros (il n'y a que leur bois, leur squelette, qui grossisse), ils peuvent seulement gorger leurs tissus de substances nutritives. Mais tandis que l'ours continue d'avaler tout ce qu'il trouve, il arrive un moment où les arbres sont rassasiés. Les merisiers, les sorbiers des oiseleurs et les alisiers le manifestent avec éclat dès le mois d'août. Alors que d'ici à octobre ils pourraient encore tirer profit de nombreuses journées ensoleillées, ils commencent déjà à prendre une teinte rouge. C'est leur façon d'annoncer la fermeture annuelle du magasin. Sous l'écorce, dans les racines, leurs réservoirs sont pleins, ils ne sauraient où stocker un nouvel apport de sucre. Pendant que l'ours s'applique sans faiblir à gagner de l'embonpoint, chez eux, c'est l'extinction des feux. La plupart des autres espèces, dont les réservoirs doivent être plus vastes, continuent d'effectuer la photosynthèse sans interruption jusqu'aux premiers grands froids. Elles aussi doivent alors s'arrêter et suspendre toute activité. Pour que l'arbre puisse travailler, l'eau doit être à l'état liquide. Si elle gèle, plus rien ne fonctionne; pire, quand le bois est trop humide, il peut éclater comme lorsque l'eau emprisonnée dans une canalisation se transforme en glace. Pour ne pas en arriver là, une majorité d'espèces entreprennent de réduire progressivement leur teneur en eau, donc leur activité, dès le mois de juillet. Elles ne peuvent pas complètement basculer en mode hivernal pour deux raisons. La première (pour autant qu'elles ne soient pas apparentées aux merisiers) est la nécessité de profiter des derniers jours d'été pour emmagasiner un maximum d'énergie; la seconde est l'obligation de rapatrier les réserves des feuilles dans le tronc et les racines. Surtout, la chlorophylle doit être décomposée en ses différents éléments afin que l'arbre puisse en renvoyer de grandes quantités dans ses nouvelles feuilles au prochain printemps. Le pompage du pigment vert fait apparaître les tons jaunes et bruns qui étaient présents dans la feuille mais non visibles. Ces pigments, qui contiennent des carotènes, ont un rôle préventif. À cette époque de l'année, les pucerons et les insectes cherchent à se réfugier dans les anfractuosités de l'écorce en prévision de la baisse des températures. Les lumineuses couleurs automnales qu'ils arborent sont pour les arbres en pleine santé une façon de signaler qu'ils seront prêts à en découdre dès les premières heures du printemps[39]. Pour la jeune génération de parasites, cela n'augure rien de bon, car ces individus sont capables de fabriquer de redoutables poisons. Ils recherchent donc des individus moins vaillants et moins colorés.

Mais pourquoi se donner tout ce mal? Quantité de conifères prouvent que l'on peut faire autrement. Leur parure verte demeure sur leurs rameaux, le renouvellement annuel du feuillage est le cadet de leurs soucis. Leurs aiguilles contiennent en effet un produit antigel qui les préserve du froid, et afin qu'ils ne perdent pas d'eau pendant l'hiver, leur surface est recouverte d'une épaisse couche de cire qui bloque l'évaporation. Protection supplémentaire, l'enveloppe de ces aiguilles est coriace et les petits orifices par lesquels s'effectue la respiration sont profondément enfoncés dans l'épiderme. L'ensemble de ces mesures limite efficacement les pertes hydriques. Elles seraient dramatiques car aucun réapprovisionnement ne peut provenir d'un sol gelé et l'arbre risquerait de mourir de soif.

Les feuilles, elles, sont fines et tendres, donc pratiquement sans défense. On comprend que les hêtres et les chênes se défeuillent dès les premiers frimas. Mais pourquoi, au cours de l'évolution, ces espèces ne se sont-elles pas, elles aussi, dotées d'une enveloppe plus épaisse et de produit antigel? Est-ce bien raisonnable de fabriquer tous les ans jusqu'à un million de nouvelles feuilles par arbre puis de ne s'en servir que quelques mois avant de péniblement s'en dépouiller à nouveau? L'évolution semble avoir répondu à cette question par l'affirmative, car lorsque les feuillus sont apparus sur Terre, il y a quelque 100 millions d'années, les conifères étaient déjà là depuis 170 millions d'années. Les feuillus sont un groupe plus moderne au sens de l'évolution. Et à y regarder de plus près, leur comportement automnal est effectivement très sensé puisqu'il leur permet de mieux résister aux tempêtes de la mauvaise saison. Quand celles-ci commencent à souffler en octobre, la forêt risque gros. À partir de 100 kilomètres à l'heure, les vents sont susceptibles d'arracher des grands arbres, ce qui certaines années se produit toutes les semaines. Détrempé par les pluies, spongieux, le sol n'offre plus guère d'ancrage aux racines, or la pression exercée sur un arbre par une tempête peut atteindre 200 tonnes. Il faut être bien armé pour ne pas basculer. Les feuillus le sont. Ils peuvent se débarrasser de toutes leurs feuilles – qui sont autant de petits auvents – pour gagner en aérodynamisme. Cela représente 1 200 mètres carrés de surface totale qui s'envolent et retombent en tourbillonnant sur le sol de la forêt. C'est un peu comme si un voilier avec un mât de 40 mètres de hauteur affalait la grand-voile de 30 mètres sur 40. Et ce n'est pas tout. Le tronc et les branches ont un coefficient de pénétration dans l'air inférieur à celui des voitures modernes. L'ensemble de l'architecture présente en outre une flexibilité qui amortit puis répartit la pression des rafales sur l'arbre dans son entier. La combinaison de ces qualités permet aux feuillus de traverser l'hiver sans dommages. Si des tempêtes d'une intensité exceptionnelle surviennent, comme il ne s'en produit que tous les cinq à dix ans, la solidarité communautaire prend le relais. Tous les arbres sont différents, l'histoire de chacun influe sur la morphologie du tronc, notamment sur la disposition et le déroulement des fibres de bois qui le composent. Il en résulte que si la première rafale courbe tous les arbres dans une même direction en même temps, ils se redressent à des vitesses diverses. Habituellement, ce sont les rafales suivantes qui renversent un arbre, parce qu'il subit une deuxième poussée qui le courbe un peu plus alors qu'il est en plein balancement. Mais dans une forêt intacte, l'entraide joue à plein. Lorsque les houppiers repartent en arrière, ils se heurtent les uns les autres puisqu'ils reprennent leur place à des rythmes différents. Tandis que l'un ploie encore vers l'arrière, un autre balance déjà vers l'avant. Il s'ensuit un choc moins violent qui agit comme un frein sur les deux arbres. Quand la rafale suivante survient, ils ne se balancent quasiment plus et le compteur repart de zéro. C'est toujours fascinant d'observer le balancement des houppiers dans le vent, les mouvements de flux et de reflux et le jeu de chaque individu au sein de la communauté. Mis à part le fait, bien sûr, qu'il est fortement déconseillé de s'aventurer en forêt par grand vent.

Revenons à la chute des feuilles. Tout nouvel hiver surmonté démontre la pertinence des efforts déployés chaque année par les arbres pour renouveler leur feuillage. Avec l'arrivée du froid, de multiples dangers les menacent. La neige, par exemple, est redoutable si elle s'accumule sur la ramure. Mais quand les 1 200 mètres carrés de surface foliaire ont disparu, les flocons blancs n'ont que des branches nues où se poser et il en tombe plus sur le sol qu'il n'en reste sur les arbres. La glace peut créer des dommages plus importants encore que la neige. Il y a quelques années, mon district a connu, trois jours durant, une étonnante configuration atmosphérique : un crachin anodin associé à des températures ambiantes légèrement inférieures à zéro. À chaque heure qui passait, mon inquiétude pour la forêt grandissait. La fine pluie verglaçante se déposait sur les branches gelées et les alourdissait à vue d'œil. Tous ces arbres habillés de glace, c'était magnifique. Mais dans les bosquets de jeunes bouleaux, les arbres ployaient à l'unisson sous le poids inhabituel, et j'en faisais déjà secrètement mon deuil. Parmi les arbres adultes, les plus touchés furent les conifères, notamment les douglas et les épicéas qui perdirent jusqu'aux deux tiers de leurs branches qui cassaient avec fracas. Les arbres en furent très affaiblis, et il faudra encore des dizaines d'années avant qu'ils aient retrouvé une silhouette équilibrée.

Mais les jeunes bouleaux courbés m'ont surpris. Quand la glace a fondu, 95 % des troncs se sont redressés. Depuis, quelques années se sont écoulées et ils ne présentent guère de séquelles apparentes. Seuls ceux qui ne se sont pas relevés sont morts ; leurs frêles troncs pourris ont fini par tomber et ils se transforment lentement en humus.

La chute des feuilles est donc une mesure de préservation adaptée au climat de nos latitudes. Et accessoirement, l'occasion pour les arbres de pouvoir enfin se soulager en se libérant des substances inutiles présentes dans les feuilles. Ils s'en défont en même temps que celles-ci tombent au sol. La chute des feuilles est un processus actif ; l'arbre ne doit pas être déjà au repos pour se débarrasser de son feuillage. Une fois les réserves de nutriments des feuilles redescendues dans le tronc, il fabrique une couche de séparation qui ferme la communication avec les rameaux. Il suffit d'un léger coup de vent pour que les feuilles se détachent et tombent. Ce n'est qu'à l'issue du processus que l'arbre peut envisager de faire une pause. Et elle n'est pas superflue. Se reposer lui est indispensable pour récupérer du stress des mois d'activité. La privation de sommeil a le même effet sur les arbres que sur les hommes : elle peut être fatale. L'incapacité de bébés-chênes ou hêtres à survivre en pot dans un salon n'a pas d'autre origine. Une seule année sans pouvoir se reposer les empêche de repartir au printemps.

Chez le jeune arbre qui grandit à l'ombre de ses parents, la chute des feuilles diffère sensiblement de la procédure standard. Quand la mère-arbre perd ses feuilles, brusquement, des flots de lumière atteignent le sol. Les petits arbustes n'attendaient que ce moment pour emmagasiner toute l'énergie possible. La plupart du temps, les premiers gels les surprennent en pleine activité. Si les températures descendent nettement au-dessous de zéro, par exemple la nuit, au-dessous de - 5 °C, les arbres cèdent nécessairement à la fatigue et entrent en repos hivernal. La fabrication d'une couche de séparation n'est plus possible, et la chute des feuilles exclue. Pour les jeunes téméraires, cela n'a aucune importance. Leur faible taille offre peu de prise aux vents et il est rare que la neige les inquiète. Au printemps, ils profitent à nouveau de la même occasion et s'assurent un généreux déjeuner de soleil en déployant leurs bourgeons deux semaines avant leurs grands voisins. Mais comment savent-ils quand démarrer ? Faute de pouvoir connaître le planning de pousse des mères-arbres, ils se basent sur le réchauffement des températures. Au niveau du sol, il annonce le printemps environ deux semaines plus tôt que 30 mètres au-dessus d'eux, dans les cimes. Tout là-haut, l'âpreté des vents et le froid mordant des nuits étoilées retardent l'arrivée de la belle saison. La ramure des vieux arbres forme un auvent qui atténue l'impact des gels tardifs sur les étages inférieurs tandis que la couche de feuilles mortes, qui se décompose sur le sol comme un tas de compost, fait monter la température de quelques degrés. Ajoutées aux journées gagnées à l'automne, ces deux semaines portent à un mois la durée de croissance en pleine lumière des jeunes arbres, ce qui représente tout de même 20 % de la période végétative.

Parmi les feuillus, tous n'ont pas le même sens de l'épargne. Avant la chute des feuilles, les réserves de nutriments retournent dans les branches. Certains arbres semblent s'en moquer éperdument. Les aulnes font le sacrifice d'un feuillage uniformément vert, comme si demain n'existait pas. Il faut dire qu'ils poussent pour la plupart dans des sols marécageux riches en substances nutritives. Ils peuvent plus que d'autres s'offrir le luxe de fabriquer de la nouvelle chlorophylle tous les ans. La matière première nécessaire leur est fournie par les champignons et les bactéries qui recyclent les feuilles mortes, à leurs pieds, à proximité immédiate de leurs racines. Ils peuvent également renoncer au rapatriement d'azote, car ils vivent en symbiose avec des rhizobiums qui les approvisionnent régulièrement en quantité suffisante. Les rhizobiums sont des bactéries du sol qui ont la particularité de fixer l'azote de l'air – jusqu'à 30 tonnes par an et par kilomètre carré de forêt d'aulnes – le rendant ainsi directement assimilable par les racines de leurs amis-arbres[40]. C'est plus que ce que les agriculteurs épandent habituellement sur leurs champs pour les fertiliser. Tandis que la plupart des espèces s'efforcent d'économiser leurs ressources, les aulnes font étalage de leur richesse. Les frênes ont un comportement similaire, de même que les sureaux. Ces gaspilleurs ne participent pas au flamboiement automnal des forêts – seuls les champions de l'épargne chatoient de mille feux. Enfin, ce n'est pas tout à fait exact. Le jaune, l'orange et le rouge qui apparaissent après le retrait de la chlorophylle sont des caroténoïdes et des anthocyanes qui seront eux aussi décomposés. Le chêne est une espèce si prudente qu'il rapatrie jusqu'à la moindre réserve de nutriments et ne lâche pas ses feuilles avant qu'elles soient uniformément brunes. Chez les hêtres, toutes les nuances du brun au jaune sont représentées tandis que les merisiers misent sur le seul rouge.

Revenons aux conifères que j'ai un peu négligés jusque-là. Il y a parmi eux une espèce qui perd sa parure annuelle comme les feuillus : le mélèze. J'ignore pourquoi il a fait ce choix d'évolution et pas ses cousins conifères. La course à la meilleure méthode d'hivernage n'est peut-être pas encore terminée. En effet, si le maintien des aiguilles sur les rameaux présente un réel avantage au printemps, permettant aux arbres de démarrer leur croissance sans devoir passer par les complications de la feuillaison, dans les faits, de nombreuses pousses se dessèchent, car le sol est encore gelé alors que le houppier, réchauffé par le soleil printanier, commence à réaliser la photosynthèse. Les aiguilles formées au cours de l'année précédente, qui ne possèdent pas une couche de cire suffisamment épaisse pour bloquer l'évaporation quand le danger survient, sont particulièrement vulnérables.

Les épicéas, les pins, les sapins et les douglas renouvellent eux aussi leurs aiguilles. Comme leurs cousins, ils ont eux aussi besoin de faire un brin de toilette. Les plus anciennes, trop abîmées pour être encore performantes, sont celles dont ils se débarrassent en premier. Dix générations d'aiguilles cohabitent sur les sapins, six sur les épicéas et trois sur les pins, que l'on reconnaît aux démarcations correspondantes sur les rameaux. Les pins qui perdent ainsi un quart de leur feuillage peuvent avoir l'air un peu déplumés en hiver. Au printemps, avec les jeunes pousses de la nouvelle génération, leurs houppiers retrouvent leur fraîcheur.

Au fil des saisons

PERSONNE NE S'ÉTONNE QUE SOUS NOS LATITUDES, les forêts se dénudent en automne et reverdissent au printemps. Pourtant la chute et la repousse annuelles des feuilles sont un petit miracle, car le processus implique que les arbres aient la notion du temps. Comment savent-ils que l'hiver arrive ou que la hausse des températures n'est pas un bref aléa climatique, mais l'annonce du printemps?

Il serait logique qu'une succession de journées plus chaudes déclenche l'éclosion des bourgeons, puisque l'eau présente dans le tronc de l'arbre dégèle et recommence à circuler. Mais curieusement, les bourgeons s'ouvrent d'autant plus tôt que l'hiver a été rude. Des chercheurs de l'université technique de Munich l'ont mis en évidence en laboratoire[41]. Plus la saison froide a été chaude, plus la mise à feuilles de rameaux de hêtres a été tardive, ce qui de prime abord paraît incohérent. D'autant que de nombreux autres végétaux, dont les plantes herbacées, se réveillent souvent dès janvier, et pour certains commencent même déjà à fleurir en tout début d'année. Serait-ce qu'en l'absence de températures inférieures à zéro les arbres ne connaîtraient pas de repos hivernal réparateur et ne seraient pas d'attaque au printemps? Dans le contexte actuel de réchauffement climatique, ce serait plutôt un point négatif car les espèces moins enclines à la dormance développent leur nouveau feuillage plus tôt, et prennent ainsi l'avantage sur les autres.

Nous connaissons partout en Europe des périodes de températures très douces en janvier et février sans que la moindre verdure pointe chez les chênes ou les hêtres. Comment savent-ils que le moment n'est pas encore venu de former de nouvelles pousses? L'observation des arbres fruitiers a permis de trouver la solution d'une petite partie de l'énigme. Il semblerait que les arbres sachent compter! Il faut qu'un certain nombre de journées chaudes soit dépassé pour qu'ils se fient au thermomètre et considèrent que l'hiver est derrière eux[42]. Cependant, la seule hausse des températures ne fait pas le printemps.

La chute et le renouvellement du feuillage dépendent non seulement des températures, mais aussi de la longueur des jours. Les hêtres, par exemple, ne démarrent que si la phase lumineuse atteint au moins treize heures. C'est étonnant, car cela suppose que les arbres disposent d'une sorte de sens de la vue. On serait tenté de le situer naturellement dans les feuilles – ne sont-elles pas dotées d'une forme de cellules photovoltaïques qui captent l'énergie lumineuse et donc déjà équipées pour la réception d'ondes lumineuses? Cela vaut peut-être pour la période estivale, mais en avril les rameaux ne portent pas encore de feuilles. Bien que tous les mystères ne soient pas levés, il semble que le siège de ce sens soit situé dans les bourgeons. Ils contiennent les feuilles en devenir et, pour ne pas se dessécher, sont recouverts, à l'extérieur, d'écailles brunes. Examinez ces écailles au moment du débourrement* en les tenant à contre-jour.

---

* Période d'éclosion des bourgeons au printemps.

Oui, elles sont translucides ! Il est probable que d'infimes quantités de lumière suffisent à détecter la longueur des jours. Nous savons, grâce à l'observation des graines de nombreuses herbes sauvages des champs, que la faible luminosité de l'éclat nocturne de la lune suffit à en déclencher la germination. C'est donc tout à fait plausible. Mais le tronc peut lui aussi détecter la lumière. L'écorce de la plupart des espèces renferme de minuscules bourgeons dormants. Dès qu'un voisin meurt ou tombe, il est fréquent que le surplus de soleil qui touche le tronc déclenche le développement de ces bourgeons afin que l'arbre puisse exploiter l'offre supplémentaire de lumière.

Mais comment les arbres savent-ils que des journées plus chaudes correspondent au début du printemps et non à la fin de l'été ? Leur bonne réaction est induite par une combinaison des températures et de la durée de jour. Des températures en augmentation signalent le printemps, en baisse, l'automne. C'est notamment la capacité des arbres à percevoir cette configuration qui permet à des espèces européennes comme le chêne ou le hêtre de s'adapter au rythme inverse de l'hémisphère Sud, par exemple lorsqu'ils sont exportés et replantés en Nouvelle-Zélande. Pour revenir à un sujet déjà évoqué, c'est aussi une nouvelle preuve de la capacité de mémorisation des arbres. Comment, sinon, pourraient-ils comparer des phases lumineuses ? Comment pourraient-ils additionner une journée chaude à une autre ?

Quand des températures élevées en automne succèdent à une année chaude, il arrive que des arbres perdent la notion du temps et se mettent à bourgeonner en septembre, voire forment de nouvelles feuilles. Lorsque le froid qui se faisait attendre arrive, ces écervelés en paient les conséquences. Le tissu des nouvelles pousses n'a pas eu le temps d'aoûter, c'est-à-dire de se lignifier pour résister au froid ; quant aux feuilles, elles sont vulnérables quel que soit leur âge. Il est inévitable que le nouveau feuillage gèle. C'est certainement douloureux, sans compter que les bourgeons destinés au printemps suivant sont perdus et devront être remplacés. Cette inattention coûte cher en énergie et grève le redémarrage de la végétation au printemps.

Si la perception du temps permet aux arbres de réguler la pousse de leur feuillage, elle est au moins aussi précieuse pour assurer leur descendance. Il est important que les graines qui tombent au sol en automne ne germent pas aussitôt, sous peine de courir deux risques. Le premier est le risque de gel auquel seraient exposées les jeunes plantules qui n'auraient pas eu le temps d'aoûter avant l'arrivée du froid. Le second, celui de faire les délices des chevreuils et des cerfs qui peinent à trouver de quoi s'alimenter durant la saison froide. Il est plus sûr d'entrer en végétation au printemps, en même temps que toutes les autres espèces végétales. Pour être dans le bon timing, les graines sont capables de percevoir le froid. Les bébés-arbres ne s'aventurent pas à sortir de leur enveloppe tant que des périodes importantes de réchauffement n'ont pas succédé aux gelées hivernales. De nombreuses graines n'ont pas besoin de mécanisme de comptage sophistiqué comme celui qui permet de fixer la feuillaison. C'est le cas des glands et des faînes que les geais des chênes et les écureuils ont eu la bonne idée d'enfouir dans le sol. À quelques centimètres de profondeur, la terre ne se réchauffe que lorsque le printemps est là pour de bon. En revanche, pour les poids plume comme les graines de bouleaux, la prudence est de mise, car avec leurs petites ailes, elles se posent toujours à la surface du sol et n'en bougent plus. Si le sort a voulu qu'elles tombent en plein soleil, elles doivent enregistrer la durée des phases lumineuses, comme leurs aînés, et attendre leur heure.

Question de caractère

Sur la route départementale entre mon village de Hümmel et la commune voisine, dans la vallée de l'Ahr, il y a trois vieux chênes. Ils sont un élément marquant de ce paysage ouvert qui a été nommé d'après eux. Les trois troncs sont exceptionnellement proches les uns des autres, seuls quelques centimètres les séparent. Cela en fait pour moi de parfaits sujets d'observation, car ils bénéficient de conditions naturelles identiques. Sol, ressources en eau, microclimat environnemental ne peuvent pas changer trois fois en l'espace d'un mètre. Si les chênes ont des comportements différents, cela est nécessairement imputable à des caractéristiques individuelles. Et ils se comportent différemment ! Que ce soit l'hiver quand ils sont totalement dénudés, ou l'été quand leur feuillage a atteint sa pleine croissance, l'automobiliste qui passe devant en voiture ne remarque pas qu'il s'agit de trois arbres. Leurs houppiers qui s'entremêlent forment une grande demi-sphère. Les trois troncs pourraient provenir d'une seule souche, comme c'est le cas d'arbres coupés qui émettent des rejets. Il n'en est rien, le trio le prouve à l'automne. Le chêne de droite commence à changer de couleur alors que celui du milieu et celui de gauche sont encore uniformément verts. Ce n'est qu'une à deux semaines plus tard qu'ils emboîtent le pas à leur congénère sur le chemin du repos hivernal. S'ils bénéficient de conditions environnementales identiques, la raison de ce décalage doit être ailleurs. Le moment où un arbre se sépare de son feuillage est effectivement une question de caractère. Cette opération, nous l'avons vu dans le chapitre précédent, est une nécessité. Mais comment savoir quand le bon moment est arrivé? Les arbres ne peuvent pas sentir l'hiver approcher, ils ne peuvent pas savoir s'il sera froid ou doux. Ils enregistrent la décroissance des phases lumineuses et la baisse des températures. Si tant est qu'elles baissent. Il n'est pas rare que le thermomètre affiche encore des températures de fin d'été en automne, de quoi poser un vrai casse-tête à nos trois chênes. Que faire? Profiter de la douceur ambiante pour continuer à réaliser la photosynthèse et vite engranger quelques calories supplémentaires avant l'hiver? Ou bien jouer la sécurité et se défeuiller sans attendre au cas où un brusque épisode de gel contraindrait à un repos précipité? Apparemment, chacun des trois arbres a un avis différent. Celui de droite est plus anxieux, ou pour l'exprimer de façon positive: plus raisonnable. À quoi bon des réserves supplémentaires si l'on ne peut plus se séparer de ses feuilles et que l'on se retrouve à traverser l'hiver avec une épée de Damoclès au-dessus de la tête? Mieux vaut lâcher les feuilles et hop, au pays des rêves! Les deux autres sont plus téméraires. Qui sait ce que le printemps suivant apportera, combien d'énergie une soudaine invasion d'insectes engloutira et ce qu'il restera ensuite de réserves? Mieux vaut garder les feuilles et remplir à ras bord les réservoirs, sous l'écorce et dans les racines. Jusque-là, cette option s'est avérée un bon choix, mais qui sait combien de temps cela va durer ? Avec le réchauffement climatique, les températures automnales restent plus longtemps élevées, le feuillage demeure parfois jusqu'à la première semaine de novembre sur les rameaux. Or le début de la saison des tempêtes n'a pas changé, il survient toujours en octobre, de sorte que le risque qu'une bourrasque renverse un arbre couvert de feuilles augmente. Je crains qu'à terme les arbres prudents aient de meilleures chances de survivre.

On peut observer les signes d'une même témérité sur les troncs de feuillus, mais aussi des sapins blancs. Le règlement intérieur de la forêt veut qu'ils soient longs et lisses, donc dépourvus de branches basses, ce qui est pertinent compte tenu du manque de luminosité des étages inférieurs. S'il n'y a pas de lumière solaire exploitable, les parties inutiles de l'arbre, qui ne feraient que gaspiller des éléments nutritifs, sont mises hors service. Le phénomène est comparable à celui de nos muscles qui s'atrophient pour économiser des calories s'ils ne sont pas utilisés. Mais les arbres ne peuvent pas couper leurs branches, ils peuvent seulement les laisser mourir. Les champignons qui envahissent le bois mort doivent ensuite prendre le relais. Un jour, la branche vermoulue tombe au sol où elle se transforme progressivement en humus. L'emplacement de la cassure ne peut rester en l'état. Des champignons pourraient continuer de pénétrer et progresser dans le tronc dépourvu d'écorce. Pour le moment la blessure est à vif, mais cela peut n'être que temporaire. Si la branche n'était pas trop grosse (jusqu'à 3 centimètres de diamètre), il ne faut que quelques années à l'arbre pour recouvrir la cassure, car il peut, de l'intérieur, recommencer à irriguer l'emplacement de l'ancienne branche, ce qui entraîne la mort des champignons. Si la branche était très grosse, le processus de cicatrisation prend trop de temps. La plaie qui reste ouverte plusieurs dizaines d'années permet à des générations de champignons de poursuivre leur travail de sape toujours plus profondément dans le bois. Le tronc pourrit et perd de sa stabilité. D'où l'impératif de ne développer que des branches de petit diamètre en partie basse. Une fois que l'arbre s'en est naturellement défait à mesure qu'il grandissait, il ne doit sous aucun prétexte en laisser repousser. C'est pourtant ce qui se passe chez certains. Qu'un voisin vienne à disparaître, aussitôt ils utilisent l'abondance de lumière pour former de nouveaux bourgeons aussi bas que possible. De grosses branches se développent, tout d'abord très performantes. Les arbres profitent à plein de l'opportunité de réaliser la photosynthèse à la fois au niveau du houppier et du tronc. Vient pourtant un jour, peut-être une vingtaine d'années plus tard, où les houppiers des arbres voisins ont tellement grossi que la fenêtre de lumière se referme. Il fait de nouveau sombre au premier étage de la forêt et les grosses branches basses meurent. Alors, comme décrit plus haut, les champignons envahissent les troncs et leur avidité se retourne contre les ignorants qui en voulaient toujours plus. Ce comportement n'est pas une caractéristique générale mais un trait individuel, en somme une histoire de caractère ; vous pourrez le vérifier lors d'une prochaine promenade en forêt. Observez les arbres autour d'une petite clairière. Ils sont tous tentés de développer de nouvelles branches sur leurs troncs, pourtant seule une partie d'entre eux succombe à la tentation. Les autres, prudents, choisissent de préserver l'intégrité de leur écorce, et s'épargnent ainsi d'inévitables déboires.

L'arbre malade

EN THÉORIE, LA PLUPART DES ESPÈCES D'ARBRES PEUVENT atteindre un âge très avancé. Les acquéreurs de concessions de notre cimetière forestier me demandent souvent combien de temps leur arbre va vivre. Ils choisissent en majorité des hêtres ou des chênes dont la durée de vie, d'après les connaissances actuelles, se situe autour de 400 à 500 ans. Cependant, pour un individu donné, arbre ou homme, les statistiques n'ont bien souvent guère de valeur. Mille choses sont susceptibles de modifier la destinée d'un arbre. Sa santé dépend de la stabilité de l'écosystème forestier. Température, humidité et luminosité ne doivent jamais accuser de brusques variations, car la capacité de réaction des arbres est très lente. Toutefois, même dans des conditions environnementales optimales, insectes, champignons, bactéries et virus sont en permanence à l'affût d'une opportunité d'envahir les lieux. Ils n'ont de chance d'entrer que si l'arbre est en situation de déséquilibre. En temps normal, celui-ci répartit précisément ses forces. Une part importante est dévolue au quotidien. Il doit respirer, « digérer » sa nourriture, fournir ses amis-champignons en sucres, grandir un peu et alimenter la réserve latente destinée à la lutte contre les parasites. Cette réserve, qui peut être activée à tout moment, contient des substances répulsives, propres à chaque espèce, tout à fait performantes. Ce sont ce que l'on appelle des phytoncides, des molécules dont l'action antibiotique a été prouvée au travers d'expériences édifiantes. Boris Tokin, un biologiste de l'ex-Union soviétique, écrivait ainsi dès 1956 que les protozoaires contenus dans une goutte d'eau étaient tués en moins d'une seconde par l'ajout d'une pincée d'aiguilles d'épicéa ou de pin broyées. Dans le même document, Tokin expose que l'air d'une jeune forêt de pins est rendu presque stérile par l'action des phytoncides excrétés par les aiguilles[43]. Les arbres peuvent donc véritablement désinfecter leur environnement. Mais ce n'est pas tout. Les noyers luttent par exemple contre les insectes à l'aide des composants de leurs feuilles, et avec une efficacité telle que l'on recommande aux amateurs de siestes en plein air d'installer leur chaise longue sous un noyer. C'est là que le risque de se faire piquer par des moustiques serait le moins élevé. Quant aux phytoncides des conifères, peut-être en avez-vous déjà senti. Ce sont eux qui embaument de leur odeur balsamique les forêts de pins, l'été, quand il fait chaud.

Si le subtil équilibrage d'énergie entre croissance et système de défense est mis en péril, l'arbre peut tomber malade. L'origine du risque peut être la mort d'un voisin. Les flots de lumière qui se déversent soudain de toutes parts sur le houppier déclenchent un formidable appétit de photosynthèse. C'est une bonne chose, car la probabilité qu'un tel événement se produise est d'environ une fois par siècle. L'arbre nouvellement baigné de soleil laisse tout en plan pour se consacrer exclusivement à la croissance de ses rameaux. Le temps presse ; autour de lui, ses voisins font tous la même chose, et la trouée va se refermer en une vingtaine d'années, un court laps de temps pour un arbre. Les rameaux se développent vite, ils gagnent jusqu'à 50 centimètres de longueur par an contre quelques millimètres auparavant. Cela coûte de l'énergie, qui n'est dès lors plus disponible pour lutter contre les maladies et les parasites. Si l'arbre fait partie des chanceux, tout se passe bien, et quand la trouée se referme, son houppier s'est bien développé. Il prend un peu de repos et renoue avec la sécurité d'un métabolisme équilibré. Mais gare à lui si dans l'ivresse de la croissance quelque chose dérape ! Si jamais un champignon se faufile dans le bois mort d'un moignon de branche puis envahit le tronc, ou si un scolyte pique par hasard l'ambitieux parti à l'assaut du ciel et n'enregistre pas de réaction, c'est la catastrophe. Faute d'énergie pour mobiliser des substances répulsives, le tronc qui affichait une santé insolente est gagné par l'invasion. Les premières manifestations de l'attaque du houppier apparaissent. Chez les feuillus, les pousses supérieures, vitales, meurent brutalement et de gros moignons dépourvus de rameaux latéraux pointent vers le ciel. Les conifères réagissent par une baisse de la quantité d'aiguilles présentes sur les rameaux. Il est fréquent que les pins malades ne puissent plus porter trois mais seulement une à deux générations d'aiguilles, ce que l'on remarque à la forte éclaircie des houppiers. Chez les épicéas, le «port en draperie» des rameaux qui se défont d'une partie de leurs aiguilles s'accentue. Ils pendent tristement des branches, partiellement dénudés. Puis le tronc perd ici et là des plaques d'écorce. Dès lors, cela peut aller très vite. Le houppier s'effondre comme un ballon de baudruche à mesure que la mort gagne des branches de plus en plus basses. Les dommages sont particulièrement visibles chez les épicéas car, avant que les tempêtes hivernales balayent les branches mortes, la flèche desséchée du houppier se détache nettement au-dessus du feuillage bien vert des étages inférieurs encore indemnes.

Un arbre vivant est un arbre qui construit chaque année un nouvel anneau de bois. Durant la période végétative, le cambium, qui se trouve entre l'écorce et le bois, génère de nouvelles cellules d'écorce vers l'extérieur, de bois vers l'intérieur et l'arbre grossit. Longtemps, on a pensé qu'un arbre qui ne parvenait plus à grossir mourait. Pourtant, des chercheurs ont découvert en Suisse des pins aux beaux houppiers touffus qui paraissaient parfaitement sains. En y regardant de plus près, notamment à l'examen, de coupes et de carottes de sondage, il s'avéra que certains individus avaient cessé de fabriquer de nouveaux anneaux de bois depuis plus de trente ans[44]. Ces pins aux aiguilles bien vertes étaient morts. Les arbres avaient été attaqués par le polypore du pin, un champignon très agressif qui avait tué les cellules du cambium. Pourtant leurs racines continuaient d'absorber de l'eau et de la faire circuler dans les vaisseaux du tronc et du houppier, fournissant ainsi l'humidité nécessaire à la survie des aiguilles. Comment était-ce possible ? Si le cambium meurt, l'écorce meurt aussi. La continuité entre les parties aériennes et souterraines s'interrompt et les sucres solubles contenus dans les feuilles ne peuvent plus parvenir aux racines. Il fallait que ce soient des pins voisins en bonne santé qui aient alimenté leurs racines et ainsi aidé les pins mourants à continuer de verdir et de fabriquer des aiguilles. Encore un exemple de cette solidarité des arbres entre eux que nous avons évoquée dans le chapitre « Amitiés ».

Les arbres sont au moins autant sujets aux blessures qu'aux maladies. Les risques sont multiples : la chute d'un voisin, par exemple. Dans une forêt dense, il est inévitable que des arbres alentour soient touchés. Si cela se produit en hiver, quand l'écorce relativement sèche adhère solidement au bois, les dommages sont minimes. La plupart du temps, cela se solde par la casse, sans conséquences durables, de quelques branches. Il en va autrement des lésions du tronc, plus fréquentes en été. À cette époque de l'année, le cambium est gorgé d'eau, translucide et glissant. Il suffit de peu pour déchirer l'enveloppe protectrice. Quand un voisin tombe, ses branches font de grandes éraflures. Aïe ! Le bois humide est un substrat idéal pour les spores de champignons qui sont en quelques minutes sur les lieux. Ils produisent des filaments de mycélium qui s'attaquent aussitôt au bois et aux nutriments. Leur progression à l'intérieur de l'arbre est toutefois contrariée. Le bois contient beaucoup trop d'eau ; les champignons apprécient certes l'humidité, mais ils meurent dans les milieux détrempés. Pour le moment, leur marche triomphale est freinée par l'aubier, la couche de bois tendre située entre le cambium et le duramen. Mais désormais à l'air libre, l'aubier va commencer à sécher. Une course au ralenti démarre. Le champignon s'immisce à l'intérieur du bois à mesure que l'eau recule dans l'aubier, et en même temps que l'arbre s'efforce de refermer sa blessure. Les tissus du pourtour de la plaie lancent toutes leurs forces dans la bataille pour se rejoindre au plus vite. Ils parviennent à recouvrir jusqu'à un centimètre de bois nu par an. En cinq années, tout doit être de nouveau étanche. De l'écorce neuve recouvre l'ancienne blessure et l'arbre peut de nouveau irriguer à plein le bois endommagé, et ainsi tuer le champignon. À condition que ce dernier n'ait pas réussi à passer de l'aubier au duramen, auquel cas il est trop tard. Le duramen, ou « bois parfait », qui ne contient plus de cellules vivantes, est un bois plus sec qui offre des conditions idéales à l'agresseur, d'autant que l'arbre ne peut pas intervenir à cet endroit, où il n'entretient plus de cellules actives. Les chances de l'arbre sont donc étroitement liées à la largeur de ses blessures. Au-dessus de 3 centimètres, la situation est préoccupante. Cependant, tout n'est pas perdu, même en cas de victoire du champignon. Une fois dans la place, plus rien ne contrarie sa progression dans le bois, certes, mais il avance lentement, très lentement. Cent ans peuvent s'écouler avant qu'il ait tout mangé et transformé l'intérieur en mull. La stabilité de l'arbre n'en est aucunement affectée, car le champignon ne peut pas se répandre dans les cernes annuels externes de l'aubier, trop imbibés pour lui. Dans les cas extrêmes, l'arbre peut finir par être complètement creux, mais toujours aussi droit et stable, comme un tuyau de poêle. Il n'y a pas lieu de se désoler pour lui, d'autant qu'il n'est pas assailli de douleurs non plus.

Dès lors qu'il a refermé sa blessure et surmonté le dommage infligé à son tronc, d'ordinaire, un arbre vit aussi longtemps que ses camarades intacts. Il peut toutefois arriver, lors d'hivers particulièrement froids, que ses vieilles blessures refassent parler d'elles. Un claquement sec résonne dans la forêt, comme un coup de fusil, et le tronc éclate le long de la ligne de blessure. L'accident est dû aux différences de tensions au sein du bois gelé, très irrégulièrement structuré chez les arbres au passé un peu mouvementé.

Que la lumière soit

L'ENSOLEILLEMENT, DONT J'AI EU MAINTES FOIS l'occasion de parler, est un facteur de première importance pour la forêt. Cela va de soi, puisque les arbres sont des végétaux qui doivent réaliser la photosynthèse pour survivre. Les pelouses et les massifs de fleurs de nos jardins étant suffisamment ensoleillés, le bon développement des plantes nous paraît surtout tributaire de l'arrosage et de la qualité de la terre. Au quotidien, nous ne nous rendons pas compte que la lumière est le plus important de ces trois facteurs et comme nous transformons volontiers notre cas particulier en tendance générale, nous ne voyons pas qu'une forêt naturelle a de tout autres priorités. En réalité, on s'y bat pour la moindre parcelle de soleil, au point que toutes les espèces se sont spécialisées afin d'avoir quelques chances d'accéder à un minimum d'énergie. Tout en haut de l'édifice, à l'étage des chefs, les houppiers des hêtres, des épicéas et des pins qui s'étalent sans vergogne, captent 97% de la lumière solaire. C'est brutal et égoïste, mais quelle espèce ne prend pas tout ce qu'elle peut prendre? Les arbres doivent d'avoir gagné la course à la lumière uniquement à leur aptitude à développer de longs troncs.

Un végétal n'acquiert cependant un tronc long et stable qu'à un âge avancé, car fabriquer du bois consomme des quantités phénoménales d'énergie. Pour atteindre sa taille adulte, le tronc d'un hêtre, par exemple, a besoin d'un volume de sucres et de cellulose équivalent à un hectare de blé. Il est compréhensible qu'il lui faille non pas une, mais 150 années pour grandir et se développer. Mais ensuite, hormis d'autres arbres, quasiment aucun végétal ne lui fera de l'ombre et il est tranquille pour le reste de ses jours. Sa progéniture est programmée pour survivre avec le peu de luminosité qu'il laisse filtrer, et elle a toujours droit à des perfusions de nourriture par les racines. Au niveau de la strate herbacée, elle est la seule à bénéficier de ce régime, ses voisins ont dû développer une autre stratégie. C'est le cas des plantes à floraison précoce qui enchantent la forêt. En avril, la terre brune des sous-bois de vieux feuillus se couvre d'un tapis de fleurs blanches. Ce sont les anémones sylvies, auxquelles se mêlent parfois des fleurs jaunes ou bleu violacé comme celles des hépatiques. Les hépatiques doivent leur nom à la forme de leurs feuilles qui rappelle celle du foie humain. Ce sont des petites plantes têtues. Quand elles sont quelque part, elles ne veulent plus en bouger. Leur multiplication par dissémination des graines étant très lente, on ne les trouve que dans les forêts de feuillus ayant plusieurs siècles d'existence.

Les plantes semblent donner tout ce qu'elles peuvent, au risque de s'épuiser. Cette débauche de fleurs est dictée par la brièveté de la fenêtre de lumière qui s'offre à elles. En mars, quand le premier soleil de printemps réchauffe le sol, les feuillus, encore en dormance, ne portent pas de feuilles qui puisse faire de l'ombre. Les anémones sylvies et leurs cousines profitent de la chance qui leur est ainsi donnée jusqu'au début de mai de constituer des réserves de glucides pour l'année suivante. En même temps qu'elles stockent des nutriments dans leurs racines, ces petites merveilles doivent aussi se multiplier, ce qui coûte encore de l'énergie. Mener à bien tout cela en un à deux mois est un exploit sans cesse renouvelé. Dès que les bourgeons des arbres s'ouvrent, le sous-bois est plongé dans la pénombre, et les fleurs doivent de nouveau se plier à dix mois de pause forcée.

Revenons sur le «quasiment aucun végétal» dont je parlais plus haut, à propos des potentiels concurrents des arbres. «Quasiment aucun», cela ne veut pas dire aucun. Il existe en effet des plantes qui partent à l'assaut des cimes. Démarrer du sol est particulièrement ardu et lent, l'opération nécessite de la patience et de la ténacité. C'est tout à fait dans les cordes du lierre. Il démarre petite graine au pied d'essences de lumière, ces espèces qui consomment du soleil sans compter tout en en laissant filtrer des quantités non négligeables jusqu'au sol. Dans un premier temps, le lierre s'en satisfait et recouvre le sol de véritables tapis sous les pins ou les chênes. Puis un jour, une pousse commence à escalader un tronc. Seul végétal de nos contrées à procéder ainsi, il grimpe aux arbres à l'aide de racines-crampons qui s'accrochent à l'écorce. Il monte, monte encore et deux ou trois décennies plus tard il atteint le sommet du houppier. Il peut y vivre et prospérer plusieurs centaines d'années, quoique les exemplaires séculaires soient plus fréquents sur les parois rocheuses ou les ruines de châteaux forts. À en croire la littérature spécialisée, le lierre serait sans danger pour les arbres. Non seulement je ne peux le confirmer, mais si je me réfère à ma seule expérience personnelle, j'aurais même un avis diamétralement opposé. Les arbres de mon jardin, notamment les pins, qui ont besoin de beaucoup de lumière pour leurs aiguilles, n'apprécient pas du tout cette concurrence qui envahit leurs cimes. Les branches meurent les unes après les autres jusqu'à affaiblir les arbres au point de les tuer. Les tiges, qui enserrent le tronc et peuvent elles-mêmes devenir grosses comme des arbres, infligent aux pins et aux chênes les mêmes souffrances qu'un serpent constricteur à la proie qu'il étouffe. Le phénomène d'étranglement est plus visible avec le chèvrefeuille des bois. Ses tiges volubiles aux jolies fleurs parfumées ont une prédilection pour les très jeunes arbres. Elles enlacent leurs troncs avec une telle vigueur qu'elles les creusent en spirale à mesure qu'ils grossissent. Les arbres ainsi déformés sont très prisés comme bâtons de marche et donc souvent coupés prématurément, mais ils n'auraient de toute façon pas survécu bien longtemps dans la nature. Ralentis dans leur croissance par le chèvrefeuille, ils sont vite dépassés par les arbres intacts. S'ils parviennent néanmoins à grandir, un coup de vent plus fort qu'un autre peut les briser au niveau de la spirale.

Le gui s'épargne la pénible étape de l'ascension. Il démarre directement de tout en haut en confiant aux grives et aux fauvettes qui fourrent leur bec dans ses fruits le soin de disperser ses graines collantes sur les branches des houppiers. Mais comment accède-t-il à l'eau et aux nutriments, aussi haut dans les houppiers et sans contact avec le sol ? Tout ce dont il a besoin est présent en abondance autour de lui, dans l'arbre, il n'a qu'à se servir. Pour ce faire, il plonge une racine-suçoir dans la branche sur laquelle il est posé et peut ainsi aspirer ce qui lui est nécessaire. Végétal chlorophyllien, il est capable d'assurer sa propre photosynthèse et ne soutire à l'arbre hôte «que» de l'eau et des sels minéraux. La science le considère comme un hémiparasite : en d'autres mots, un parasite à moitié. Cela ne change guère la donne pour les arbres touchés, car le gui qui se multiplie d'année en année finit toujours par envahir les houppiers. Les individus atteints se repèrent surtout l'hiver, quand les touffes vertes se détachent sur les branches nues. Certains sont tellement infestés que leur survie est compromise. La saignée permanente affaiblit l'arbre, qui au surplus perd progressivement son accès à la lumière. Comme si cela ne suffisait pas, les racines profondément enfoncées dans le bois sont autant de points de faiblesse disséminés sur la structure. Le houppier rétrécit à mesure que les branches fragilisées cassent. Certains arbres n'y résistent pas.

Les mousses, qui utilisent les arbres uniquement comme support, sont moins nocives. De nombreuses espèces ne possèdent pas de racines, elles se fixent à leur support à l'aide de rhizoïdes, des filaments qui, dans le cas des arbres, s'accrochent à l'écorce comme des crampons. Faible consommation de lumière, pas d'absorption de nutriments ni d'eau dans le sol et pas de ponction de l'arbre : comment diable survivent-elles ? Les mousses se contentent de peu. Concernant l'eau, elles emmagasinent ce qu'elles peuvent puiser dans la rosée, le brouillard ou la pluie. D'ordinaire, cela ne suffit pas, car les arbres soit font parapluie (les épicéas et leurs cousins), soit utilisent leurs feuilles et leurs branches pour diriger l'eau vers leurs racines (les feuillus). Dans ce dernier cas, la situation est simple : les mousses colonisent le côté du tronc où l'eau s'écoule après la pluie. Peu d'arbres sont parfaitement droits, il y a donc presque toujours un côté plus arrosé que l'autre. Il suffit aux mousses de se brancher sur le petit ruisseau qui se forme au point haut de la légère inclinaison. J'en profite pour rappeler que, contrairement à une idée largement répandue, la présence de mousse ne désigne pas le côté du tronc qui serait particulièrement arrosé car orienté du côté des vents dominants, donc à l'ouest (et permettrait ainsi de se repérer dans l'espace). En pleine forêt, les arbres freinent si bien le vent qu'en conditions normales la pluie y tombe verticalement. Chaque individu penchant de plus dans un sens différent, la mousse a peu de chance d'indiquer une seule et même direction. Mieux vaut se fier à une boussole pour retrouver son chemin*.

Pour brouiller un peu plus les pistes, si l'écorce est rugueuse, l'humidité peut stagner longtemps dans les petites crevasses, favorisant l'apparition de mousse sur toute la circonférence. La rugosité du tronc commence au niveau du sol puis s'élève vers le houppier à mesure que l'arbre vieillit. Chez les jeunes arbres, la mousse est présente sur quelques centimètres au niveau du collet. Plus tard, elle peut envelopper tout le bas du tronc comme une chaussette. L'arbre n'en souffre pas, et le peu d'eau que les petits végétaux détournent est compensé par le fait qu'ils produisent à leur tour de l'humidité et contribuent ainsi au bon équilibre hydrique de la forêt.

Voyons la question des nutriments. S'ils ne proviennent pas du sol, il faut que ce soit de l'air. Et ce sont des quantités de particules qui toute l'année circulent dans l'air de la forêt. Un arbre adulte peut en capter plus de 100 kilos dans les eaux de pluie qui ruissellent sur son tronc. Les mousses se gorgent de ce mélange eau de pluie-particules et en extraient ce qui leur est utile. La question des nutriments est réglée, reste maintenant celle de la lumière. Dans les forêts de pins ou de chênes, claires et aérées, l'accès à la lumière n'est pas un problème. C'en est un, en revanche, dans les forêts d'épicéas perpétuellement sombres. Même les moins gourmands en veulent une part, ce qui explique que la mousse soit souvent absente des jeunes populations de conifères, denses et touffues. Il faut attendre que les arbres grandissent et que des trouées apparaissent ici et là dans la

---

* En France, la mousse est censée indiquer le nord... avec tout aussi peu de fiabilité.

couverture végétale pour que le sol reçoive une quantité de lumière qui permette le développement des mousses. Dans les anciennes forêts de hêtres, la situation est différente, car les mousses peuvent profiter des intersaisons du printemps et de l'automne où les arbres ne portent pas de feuilles. En été, elles manquent certes de lumière mais ce sont des végétaux adaptés à la faim et à la déshydratation. Il arrive que plusieurs mois s'écoulent sans précipitations. Passez alors votre main sur un coussin de mousse : il est sec comme un paillasson. La plupart des végétaux ne survivraient pas à une telle privation d'eau. Les mousses, elles, survivent. Une bonne pluie, elles se gorgent d'eau et la vie repart.

Les lichens sont encore plus frugaux. Ces petits végétaux gris-vert résultent d'une symbiose entre un champignon et une algue. Pour se développer, ils ont besoin d'un support, quel qu'il soit, sur lequel s'accrocher. En forêt, ce sont les arbres. À la différence des mousses, ils grimpent haut dans la ramure, vers le soleil, mais s'ils poussent déjà lentement, l'absence de lumière, sous le couvert des feuilles, ralentit encore leur croissance. Il est fréquent, même après plusieurs années de développement, qu'ils ne parviennent guère à former autre chose qu'un dépôt semblable à du moisi, que de nombreux visiteurs de ma forêt prennent pour un signe de maladie. Les arbres ne sont pas malades, les lichens ne leur font aucun mal, il est même probable qu'il leur soit parfaitement égal de leur servir de support.

Les petits végétaux compensent l'extrême lenteur de leur croissance par une longévité exceptionnelle. Ils peuvent vivre plusieurs centaines d'années et sont ainsi en parfaite adéquation avec la lenteur des forêts primaires.

Les enfants des rues

Vous êtes-vous déjà demandé pourquoi en Europe les séquoias n'atteignaient jamais une taille exceptionnelle ? Plusieurs ont beau avoir déjà 150 ans, aucun n'a encore dépassé les 50 mètres de hauteur. Chez eux, dans les forêts de la côte ouest des États-Unis, ils sont facilement deux fois plus grands. Pourquoi cela ne marche-t-il pas chez nous ? Comme vous vous souvenez qu'il est important de grandir lentement, vous me répondrez : « Mais parce que ce sont encore des enfants ! Soyons patients ! » L'énorme diamètre des séquoias européens les plus vieux – souvent plus de 2,50 mètres à hauteur de poitrine – exclut cette hypothèse. Ils peuvent assurément grandir encore, mais ils ne semblent pas investir leurs forces dans la croissance en hauteur.

Les lieux où ils poussent seraient-ils un indice ? Nous les trouvons souvent dans des jardins publics ou des parcs urbains, où princes et grands hommes se sont plu à les planter comme des trophées exotiques. Dans cet environnement, la forêt, ou plus précisément leur famille, leur manque cruellement. À 150 ans, si l'on considère qu'ils peuvent vivre plusieurs milliers d'années, ce sont effectivement encore

183

des enfants, des petits qui grandissent loin de chez eux et sans parents. Pas d'oncles, pas de tantes, pas de joyeux jardin d'enfants, ils ne peuvent compter que sur eux-mêmes. Et tous les arbres du parc, alors ? Ne forment-ils pas une petite forêt ? Ne sont-ils pas des parents de substitution ? La plupart du temps, ils ont été plantés en même temps qu'eux et auraient été bien en peine de protéger ou soutenir les petits séquoias. Au surplus, ce sont des espèces très, très éloignées. S'en remettre à des tilleuls, des chênes ou des hêtres pourpres pour aider des séquoias à grandir, c'est un peu comme si nous confiions nos nourrissons à des souris, des kangourous ou des baleines à bosse. Cela ne marche pas, les petits Américains doivent donc se débrouiller seuls. Pas de mère pour les nourrir ni veiller sans relâche à ce qu'ils ne grandissent pas trop vite, pas de confortable climat forestier humide et dénué de vent, rien que le vide et la solitude. Comme si cela ne suffisait pas, bien souvent le sol est une catastrophe. Là où la forêt primaire offre aux tendres racines une terre souple, meuble, riche en humus et constamment humide, le jardin public ne propose que des sols compacts et appauvris par des siècles d'occupation urbaine. Sans parler du public qui veut toucher l'écorce ou se reposer à l'ombre du houppier et dont le piétinement tasse un peu plus le sol autour du tronc. Devenu quasi imperméable, la pluie s'en évacue beaucoup trop vite pour qu'il puisse emmagasiner des réserves pour l'été.

Les conditions de plantation elles-mêmes ont des répercussions à vie. Pour pouvoir être transplantés de leur site de culture à leur emplacement définitif, les bébés-arbres font l'objet d'années de préparations. Chaque automne, leurs racines sont cernées, en d'autres mots, sectionnées afin de rester compactes pour permettre le levage. La motte est ainsi réduite à 50 centimètres de diamètre alors qu'elle s'étend naturellement sur 6 mètres pour un arbuste de 3 mètres de hauteur. Pour que ce traitement radical n'entraîne pas le dessèchement du houppier, celui-ci est à son tour vigoureusement rabattu. Qu'on ne s'y trompe pas, ces opérations ne sont aucunement destinées à faire du bien à l'arbre, elles ont pour seul but de faciliter la manutention. Malheureusement, le cernage des racines a aussi pour effet de priver le système racinaire de ses très sensibles coiffes terminales, dont on suppose, nous l'avons vu, qu'elles seraient le siège de dispositifs similaires à un cerveau. Aïe ! Et comme si l'arbre y perdait son sens souterrain de l'orientation, au lieu de se développer en profondeur, il tourne en rond jusqu'à former un disque racinaire. Son accès à l'eau et aux nutriments s'en trouve considérablement réduit.

Au début, les jeunes arbres semblent indifférents au traitement. Baignés de soleil, ils réalisent la photosynthèse sans aucune restriction et se gavent de sucres. L'absence d'une mère nourricière est facilement compensée. Durant les premières années, ils n'ont guère à souffrir non plus de la sécheresse d'un sol dur comme du béton ; leur statut de jeunes plants leur vaut d'être choyés et arrosés au moindre signe de soif par les jardiniers à leur service. Et surtout : pas question d'une éducation à la dure ! Jamais de « Pas si vite ! » ni de « Attends donc d'avoir 200 ans ! » et aucune privation de lumière quand ils se développent de travers. Les jeunes arbres jouissent d'une liberté totale. Ils en profitent et poussent chaque année de plus en plus haut. Mais arrivés à une certaine hauteur, le privilège de l'enfance s'arrête. Arroser des arbres de 20 mètres représenterait un énorme investissement, aussi bien en temps qu'en argent. Il faudrait plusieurs mètres cubes d'eau par arbre pour irriguer correctement les racines. Un jour, les soins sont suspendus.

Les premiers temps, les séquoias ne s'en rendent pas vraiment compte. Ils n'en ont fait qu'à leur tête et ont vécu dans le luxe et l'opulence pendant des dizaines d'années.

Leurs gros troncs trahissent leurs orgies de soleil. Les cellules de leur bois sont très grandes et contiennent beaucoup d'air, ce qui les rend vulnérables aux champignons, mais tant qu'ils sont jeunes, cela n'a pas grande importance.

Les ramifications latérales témoignent elles aussi d'une grande indiscipline. Le règlement forestier qui prescrit de ne développer que des petites branches, ou mieux, pas de branches du tout près du sol, est ignoré des parcs et jardins publics. Les séquoias profitent d'être baignés de lumière jusqu'au sol pour former de solides branches secondaires qui deviennent un jour si imposantes qu'on les dirait dopés aux anabolisants. La plupart du temps, les branches les plus basses sont coupées sur 2 à 3 mètres de hauteur pour dégager la vue, mais ce n'est en rien comparable avec les forêts primaires où les premières grosses branches ne sont autorisées qu'à partir de 20, voire parfois seulement 50 mètres de hauteur.

Il en résulte la formation d'un tronc court et épais tout de suite surmonté du houppier. Certains spécimens de parcs semblent même ne pas avoir de tronc du tout. Leurs racines, qui peinent à s'enfoncer au-delà de 50 centimètres dans le sol compact, offrent un piètre ancrage. C'est dangereux et serait très risqué pour la plupart des individus de grande taille. Mais les séquoias ont un centre de gravité très bas, hérité de leur forme primitive ; en d'autres termes, les coups de vent ne les déséquilibrent pas facilement et ils sont relativement stables.

Le cap des cent premières années franchi (les arbres ont alors l'âge d'aller à l'école), la fin de l'insouciance se profile. Les pousses terminales se dessèchent et toutes les tentatives d'en former de nouvelles pour continuer de croître échouent. Les séquoias ont atteint leur hauteur maximale. Leur écorce commence à présenter des lésions, mais grâce à une imprégnation antifongique naturelle, ils peuvent néanmoins vivre encore plusieurs centaines d'années.

Toutes les espèces ne sont pas aussi résistantes. Les hêtres souffrent beaucoup de la coupe de grosses branches. La prochaine fois que vous vous promènerez dans un parc, observez les arbres. Il n'y a pratiquement aucun grand feuillu qui n'ait pas été raccourci, élagué ou travaillé d'une quelconque façon. Le plus souvent, cette « coupe » (en réalité, un massacre) a un but essentiellement esthétique, comme la création d'une allée d'arbres ayant tous une couronne de même forme. La taille de la couronne est un coup dur pour le système racinaire. Son importance est en effet adaptée de façon optimale aux organes aériens de l'arbre. Qu'une partie substantielle de la ramure disparaisse et le déficit de photosynthèse qui s'ensuit induit le dépérissement d'un pourcentage égal d'organes souterrains. Des champignons s'introduisent par les extrémités racinaires mortes et les plaies de taille du tronc. Ces bois humides et aérés à souhait car poussés trop vite leur offrent des conditions idéales, leur progression est rapide. Quelques décennies plus tard, à une vitesse fulgurante pour des arbres, la pourriture intérieure commence à se voir à l'extérieur. Des pans entiers du houppier dépérissent. Dans son empressement à éviter tout risque d'accident, l'administration locale fait procéder à un élagage de précaution. D'immenses nouvelles plaies remplacent les branches sciées. Souvent, le mastic cicatrisant dont elles sont enduites accélère encore le dépérissement car il enferme l'humidité, ce qui est idéal… pour les champignons.

Au bout du compte, seul subsiste un morceau d'arbre que l'on finit par abattre faute de pouvoir le sauver. Et comme aucun parent ne peut voler à son secours, la souche meurt et se décompose rapidement. Quelques mois plus tard, un nouvel arbre le remplace et la désolante histoire recommence.

Les arbres urbains sont les enfants des rues de la forêt Pour ceux, nombreux, qui doivent vivre en bordure de rue, l'expression est encore plus vraie. Leurs années de jeunesse ressemblent à celles de leurs congénères des parcs et jardins. Ils sont entourés de soins, font l'objet de mille attentions, parfois même une conduite d'eau est spécialement posée pour eux afin de les abreuver à la demande. Le jour où leurs racines se piquent d'étendre leur rayon d'action, ils ont une drôle de surprise. Sous la chaussée ou le trottoir, la terre, qui a été compactée à la plaque vibrante, est d'une dureté formidable. Le coup est rude, car les essences forestières développent leurs racines moins en profondeur qu'en surface. Il est rarissime qu'elles s'enfoncent à plus de 150 centimètres, la plupart s'arrêtent beaucoup plus tôt. Dans la forêt, ce n'est pas un problème, un arbre peut s'étendre presque à l'infini. Il n'en va pas de même en bordure de rue. Toute expansion est limitée par la chaussée, des canalisations courent sous le trottoir et le sol compacté au moment des travaux d'aménagement est impénétrable. Il n'est pas étonnant que des conflits surgissent. Les platanes, les érables et les tilleuls tentent volontiers des incursions dans les égouts. L'étendue des dégâts subis par le réseau de canalisations apparaît au plus tard quand un gros orage laisse toutes les rues inondées. Des spécialistes examinent alors à la loupe des échantillons de racines afin de découvrir le responsable de l'engorgement. La sanction tombe. L'amateur d'escapade souterraine est abattu. Son successeur est planté en même temps qu'une barrière antiracines destinée à étouffer dans l'œuf toutes velléités de l'imiter. Mais pourquoi les arbres s'insinuent-ils dans les canalisations ? Les ingénieurs du BTP ont longtemps supposé que les racines étaient comme magiquement attirées par l'eau qui suintait de raccords peu étanches ou par les nutriments contenus dans les eaux usées. Une vaste étude de l'université de la Ruhr à Bochum a toutefois conclu à des causes bien différentes. Les racines observées dans les canalisations poussaient au-dessus du niveau de l'eau et rien dans leur comportement n'indiquait la recherche d'un quelconque fertilisant. Ce qui les attirait était la terre meuble qui avait été insuffisamment compactée lors du terrassement. Elles y trouvaient de bien meilleures conditions pour respirer et se développer. L'infiltration dans les canalisations par les joints puis leur prolifération à l'intérieur ne survenaient qu'ensuite, en seconde intention, en somme[45]. Ces arbres cernés de terre impénétrable, qui cherchent une issue dans des fossés dont le rebouchage a été bâclé, ne font que lutter pour leur survie. Les conflits avec leur environnement sont inévitables. À moins que les canalisations aient été correctement posées et la tranchée rebouchée dans les règles de l'art afin qu'aucune racine ne puisse s'étendre. Cela vous étonne-t-il encore que tant d'arbres urbains tombent lorsque de forts coups de vent surviennent en été ? Leur faible ancrage souterrain, réduit à quelques centimètres carrés alors qu'il peut couvrir plus d'un demi-hectare en pleine nature, est bien incapable de retenir un arbre de plusieurs tonnes. Mais ces résistants rencontrent bien d'autres difficultés. Leur environnement de béton et d'asphalte absorbe la chaleur. Tandis que l'été, lorsqu'il fait très chaud, les forêts se rafraîchissent la nuit, en ville, les rues et les bâtiments rejettent la chaleur emmagasinée durant la journée et maintiennent ainsi les températures à un niveau élevé. Cela assèche l'air qui au surplus contient beaucoup de gaz d'échappement. De nombreux auxiliaires des arbres (comme les micro-organismes qui décomposent l'humus) sont totalement absents. Les champignons mycorhiziens, qui aident les racines à collecter l'eau et les nutriments, sont très peu représentés. Les arbres des villes doivent donc se débrouiller seuls alors que leurs conditions de vie sont les pires qui soient. Comme si cela ne suffisait pas, ils bénéficient d'arrosages dont ils se seraient bien passés. Notamment de la part des chiens, qui lèvent la patte sur tous les troncs disponibles. Ces épanchements répétés d'urine corrodent l'écorce et peuvent entraîner la mort des racines. Le sel de déneigement, dont l'épandage, selon la rigueur de l'hiver, peut aller jusqu'à plus d'un kilo au mètre carré, a des effets corrosifs tout aussi dévastateurs. Pour faire bonne mesure, les aiguilles des conifères, toujours en place pendant l'hiver, doivent en plus faire face aux gouttelettes salées que les pneus des véhicules font gicler dans l'air. Mine de rien, cela représente tout de même 10 % du sel qui se retrouve ainsi dans l'atmosphère et retombe, entre autres, sur les arbres. La corrosion qui s'ensuit est reconnaissable aux petites taches jaunes et marron qui ponctuent les aiguilles. Les effets se feront sentir l'été suivant, lorsque les lésions vont réduire la capacité photosynthétique de l'arbre et ainsi l'affaiblir.

Et un arbre affaibli est un arbre vulnérable aux attaques parasitaires. Cochenilles et pucerons ont d'autant plus de chances d'infecter les arbres des rues que ceux-ci ont peu d'armes pour contre-attaquer. À cela s'ajoutent les températures plus élevées en milieu urbain. Les hivers doux et les étés chauds favorisent la prolifération des insectes. Une espèce, crainte pour sa dangerosité pour l'homme et les animaux, fait régulièrement les grands titres : la processionnaire du chêne. Le papillon est ainsi nommé car sa chenille, après s'être rassasiée de feuilles de chêne, descend en longue file indienne le long du tronc. Elle se protège des prédateurs dans d'épais cocons à l'intérieur desquels elle effectue ses mues successives. Ces chenilles sont redoutées, car elles possèdent des poils urticants qui se cassent au moindre contact et se fichent dans la peau. Ils provoquent des démangeaisons, un peu comme les orties, la formation de vésicules prurigineuses, mais aussi des réactions allergiques pouvant aller jusqu'au choc anaphylactique. Les poils urticants des mues vides restent accrochés dans les nids où ils peuvent conserver leurs propriétés irritantes et allergènes pendant dix ans. En zone urbaine, la survenue d'une pullulation de processionnaires du chêne a toutes les chances de gâcher un été, mais on ne peut pas vraiment leur en vouloir. Ce lépidoptère est plutôt rare dans la nature et s'il n'y a pas d'endroits où l'on ne cherche aujourd'hui à s'en débarrasser, il y a quelques décennies, il était sur la liste rouge de l'UICN* des espèces menacées. Pourtant, des pullulations périodiques sont décrites depuis plus de 200 ans. L'Office fédéral de protection de la nature** attribue le développement des populations non pas au réchauffement climatique mais à une offre attractive de nourriture pour leurs papillons[46]. Ceux-ci aiment les houppiers chauds baignés de soleil. En pleine forêt, ils sont peu fréquents car les chênes y sont isolés parmi des hêtres, si bien qu'il n'y a guère que le haut des cimes qui puisse éventuellement bénéficier d'un ensoleillement direct. En ville, où aucun voisin ne les prive de lumière, ils profitent de soleil toute la journée. La processionnaire du chêne ne peut rêver mieux. Et comme toute la «forêt» des zones résidentielles offre les mêmes conditions optimales, les multiplications massives de populations vont bon train. À vrai dire, elles ne sont rien d'autre qu'un

* Union internationale pour la conservation de la nature ; ONG présente dans 51 pays, sa liste rouge répertoriant les espèces animales et végétales est régulièrement mise à jour.
** Bundesamt für Naturschutz : en Allemagne, agence publique dépendant du ministère fédéral de l'Environnement.

indicateur majeur de la difficile survie des arbres en milieu urbain, quelle que soit l'essence à laquelle ils appartiennent. Au bout du compte, les entraves, pour les arbres, sont si importantes que la plupart meurent prématurément. Les libertés dont ils jouissent dans leurs jeunes années ne compensent jamais les inconvénients de la suite. Seule consolation, certains étant souvent plantés de façon à former d'élégants alignements symétriques, notamment les platanes, prisés pour leur belle écorce aux multiples nuances, au moins ont-ils la possibilité d'échanger des messages olfactifs avec leurs congénères. Parlent-ils de leurs souffrances ? de la rudesse de leur sort ? Pour le moment, ils le gardent pour eux.

Les pionniers

PIÉGÉS EN MILIEU URBAIN, LES ENFANTS DES RUES N'ONT d'autre choix que de rester là où ils ont été plantés, mais ils souffrent de l'absence du doux cocon forestier protecteur. Il existe *a contrario* des espèces fondamentalement individualistes qui n'ont de goût ni pour le confort ni pour la communauté et fuient la promiscuité de la forêt. Ces espèces dites pionnières (c'est tout de suite plus positif) préfèrent grandir loin de leurs mères. Leurs graines sont adaptées à ce choix de vie. Petites, enrobées de bourre d'une finesse arachnéenne ou équipées d'ailettes, elles volent remarquablement bien et une bonne tempête peut les transporter à plusieurs kilomètres. Leur but est d'atterrir hors de la forêt pour conquérir de nouveaux territoires. Un site désert à la suite d'un éboulement de terrain, les immenses champs de cendre d'une récente éruption volcanique, les terres brûlées : tout est bon pourvu qu'il n'y ait pas de grands arbres. Cette condition n'est pas un caprice : les espèces pionnières détestent l'ombre. Elle ralentirait leur croissance, or quiconque pousse lentement a perdu d'avance, car les premiers colonisateurs sont tous en compétition pour une place au soleil. Le tremble, la variété forestière du peuplier, le bouleau verruqueux et le saule marsault font partie de ces pionniers pressés. Quand la pousse terminale annuelle d'un petit hêtre ou d'un sapin se mesure en millimètres, elle peut atteindre plus d'un mètre chez une espèce pionnière. Dix ans suffisent ainsi à une jeune forêt pour succéder à une zone de friche. Habituellement, ces championnes de la rapidité sont alors toutes aptes à fleurir et à disséminer leurs graines pour gagner de nouvelles terres. Au surplus, elles peuvent maintenant s'implanter aussi dans les derniers espaces libres de leur environnement immédiat. Mais ce n'est pas gagné. Qui dit milieu dégagé, dit présence d'herbivores. Les végétaux herbacés et les graminées qui ne peuvent prospérer dans une forêt fermée les colonisent eux aussi dès qu'ils le peuvent. Et ces plantes attirent les chevreuils et les cerfs, comme elles attiraient autrefois les chevaux sauvages, les aurochs et les bisons. Les graminées sont non seulement adaptées à la pâture, mais elles apprécient tout particulièrement d'être débarrassées, en même temps qu'elles sont broutées, de toutes les plantules qui risqueraient un jour de leur faire de l'ombre. Parmi les arbrisseaux qui aimeraient bien grandir et supplanter l'herbe, beaucoup ont développé de redoutables épines pour tenir les animaux à distance. Le prunellier, par exemple, est si déterminé à se défendre que les épines de rameaux morts depuis des années peuvent encore transpercer des bottes en caoutchouc, voire des pneus de voiture, sans parler de la peau ou des sabots des animaux.

Les arbres pionniers ont d'autres stratégies de défense. La vitesse de leur croissance leur permet d'acquérir rapidement des troncs de bon diamètre et une grosse écorce rugueuse. Chez le bouleau, la bonne protection est atteinte lorsque l'écorce blanche et lisse éclate en formant des crevasses noires. Les dents des herbivores ne parviennent pas à entamer une enveloppe si dure ; au surplus les tissus sont imprégnés d'huiles dont le goût leur déplaît. La présence de ces huiles explique que l'écorce de bouleau brûle extrêmement bien, même en pleine période végétative, et soit parfaite pour allumer un feu de camp (à condition de ne détacher que des bandes de la couche extérieure pour ne pas blesser l'arbre !). Cette écorce recèle d'autres particularités. Sa couleur blanche est due à son principal constituant, la bétuline. Le blanc réfléchissant la lumière, il préserve le tronc des coups de soleil. En hiver, il limite le réchauffement par la lumière solaire, toujours susceptible de faire éclater les arbres non protégés. En tant qu'espèce pionnière, il est fréquent que les bouleaux soient seuls à occuper un paysage. Quand il n'y a aucun voisin pour fournir de l'ombre, cette protection s'avère précieuse. La bétuline possède en outre des propriétés antivirales et bactéricides exploitées par l'industrie pharmaceutique et la cosmétique, notamment dans les soins pour la peau[47]. Le plus surprenant réside toutefois dans la quantité présente. Un arbre dont l'écorce contient autant de substances défensives est en permanence en état d'alerte. Pas question ici de subtil équilibre entre croissance et capacité de réaction, tous les chantiers tournent à plein régime. Pourquoi toutes les espèces ne font-elles pas de même ? Ne serait-il pas sage d'être si bien préparé à riposter que tout agresseur qui planterait ses mandibules dans une feuille ou l'écorce rendrait immédiatement son dernier souffle ? Pour les espèces vivant en communauté, cela n'aurait guère de sens. Chaque individu peut y compter sur le groupe pour être protégé, averti à temps d'un danger ou encore alimenté en cas de maladie ou de difficultés. L'énergie ainsi économisée peut être investie dans le bois, les feuilles et la fructification.

Le bouleau, lui, vit seul et n'attend d'aide de personne. Pourtant, lui aussi fabrique du bois, bien plus vite, même, et lui aussi aspire à fructifier pour se reproduire. D'où lui vient son énergie ? L'espèce réaliserait-elle la photosynthèse avec plus d'efficacité que d'autres ? Non, le mystère réside dans son comportement dispendieux, sa façon de se donner à fond. Les bouleaux vivent vite, au-dessus de leurs moyens et s'épuisent tout aussi vite. Mais avant de nous pencher sur les conséquences de ce rythme accéléré, laissez-moi vous présenter un autre modèle de frénésie : le tremble. Il doit son nom à ses feuilles qui réagissent au moindre souffle d'air. En raison de la forme particulière de leur pétiole, elles bougent en exposant en alternance leur face supérieure et inférieure à la lumière. Il en résulte qu'elles peuvent réaliser la photosynthèse avec leurs deux faces, à la différence des autres espèces où la face inférieure est réservée à la respiration. Les trembles peuvent ainsi produire plus d'énergie et même croître encore plus vite que les bouleaux. En matière de lutte contre les amateurs de jeunes pousses tendres, ils suivent une tout autre stratégie qui mise cette fois sur l'opiniâtreté et la quantité. Ils peuvent être broutés et encore broutés des années de suite par des chevreuils ou des bovins, leur système racinaire n'en continue pas moins de lentement s'étendre. Il en émerge des centaines de rejets qui au fil du temps forment de véritables buissons. Un seul arbre peut ainsi s'étendre sur plusieurs hectares, parfois même beaucoup plus, dans certains cas extrêmes. La Fishlake National Forest, dans l'État nord-américain de l'Utah, héberge ainsi un faux tremble de plus de 40 000 troncs qui s'étend aujourd'hui sur environ 43 hectares pour un âge estimé à plusieurs milliers d'années. Cet organisme extraordinaire, qui ressemble à s'y méprendre à une vaste forêt, a été baptisé Pando, du latin *pandere* qui signifie « s'étendre »[48]. Des phénomènes identiques existent chez nous, quoiqu'à une échelle beaucoup moins importante. Quand les broussailles deviennent suffisamment denses pour que les animaux n'y pénètrent plus, des tiges peuvent se développer jusqu'à former de grands arbres en une vingtaine d'années.

L'état d'alerte permanent et la croissance rapide ont leur prix. Passé les trois premières décennies, l'épuisement s'installe. Les pousses verticales, un indicateur de vitalité pour les espèces pionnières, se raréfient. En soi, le problème n'est pas très grave, mais pour des peupliers, des bouleaux ou des saules, c'est un mauvais présage. Leurs ramures aérées laissent filtrer tant de lumière que des espèces arrivées après eux peuvent s'implanter. Ce sont des érables, des hêtres, des charmes ou des sapins blancs, qui poussent certes moins vite mais préféreront toujours passer leur enfance à l'ombre. De l'ombre, les pionnières leur en fournissent malgré elles. Elles signent ainsi leur arrêt de mort, car alors démarre une course qu'elles ne peuvent que perdre. Les petits intrus gagnent lentement en hauteur et rattrapent leurs fournisseurs d'ombrage en quelques dizaines d'années. Entre-temps, ceux-ci ont épuisé toutes leurs forces et stagnent à 25 mètres de hauteur, au bout du rouleau. Pour des essences comme les hêtres, c'est bien peu : ils se faufilent dans les houppiers de leurs protecteurs et poursuivent gaiement leur ascension. Étant des espèces d'ombre, ils exploitent beaucoup mieux la lumière, tant et si bien qu'il n'en reste plus assez pour les bouleaux et les peupliers demeurés en retrait. Mais ces derniers ne se laissent pas faire, notamment le bouleau verruqueux qui a développé une stratégie personnelle pour freiner les ambitions de la concurrence, du moins pendant quelques années. Ses longs rameaux retombants, fins et souples comme des cordes, fouettent l'air au moindre souffle de vent. Ils endommagent les houppiers voisins dont ils arrachent des feuilles et des jeunes pousses, ce qui a pour effet d'en ralentir la croissance. Les occupants des étages inférieurs finissent tout de même par dépasser les bouleaux et les trembles. Dès lors, les choses s'accélèrent. Leurs dernières réserves arrivent bientôt à épuisement, ils meurent et se transforment en humus en quelques années.

Toutefois, pour des arbres forestiers, la longévité de ces essences pionnières est limitée, même en l'absence de concurrents agressifs. Quand leur croissance ralentit, leur capacité à contrer les attaques de champignons disparaît. Qu'une seule grosse branche casse et la porte est grande ouverte. Comme leur bois est constitué de grandes cellules qui contiennent beaucoup d'air, le champignon se propage rapidement à l'intérieur de l'arbre. Le tronc est gagné par la pourriture. Les pionnières étant souvent seules et isolées, guère de temps s'écoule avant qu'une rafale l'abatte. Pour l'espèce, c'est anecdotique. Son but était de coloniser de nouveaux territoires et d'accéder au plus tôt à la maturité sexuelle pour se reproduire. Il y a longtemps qu'elle l'a atteint.

Cap au nord !

LES ARBRES NE MARCHENT PAS, TOUT LE MONDE LE SAIT. Le fait est qu'ils doivent néanmoins se déplacer. Comment se déplace-t-on quand on ne peut pas marcher ? En jouant sur le renouvellement des générations. Un arbre n'a d'autre choix que de rester sa vie durant où sa graine a germé et s'est enracinée. Il peut néanmoins se reproduire. Durant le court laps de temps où les embryons d'arbre sommeillent encore enveloppés dans les graines, ils sont libres, rien ne s'oppose à ce qu'ils partent vers de nouveaux horizons. Le voyage peut commencer dès que les graines tombent de l'arbre. Certaines espèces sont très pressées. Elles équipent leur progéniture de poils très fins afin que le premier vent les soulève et les emporte. Pour présenter la légèreté nécessaire, les graines des espèces qui choisissent cette stratégie doivent être très petites. Les peupliers et les saules fabriquent ainsi de minuscules planeurs qui peuvent être disséminés à des kilomètres à la ronde. Ces petites graines contiennent très peu de réserves, c'est le prix à payer pour un grand rayon de dissémination. Le germe doit rapidement trouver à s'alimenter par ses propres moyens, ce qui le rend très sensible au manque de nutriments ou à la sécheresse. Les graines de bouleaux, d'érables, de charmes, de frênes ainsi que de conifères sont un peu plus lourdes. La présence de poils ne suffit plus à assurer la portance, les aides au vol doivent être plus élaborées. Certaines espèces, dont les conifères, équipent leurs graines de véritables hélices qui ralentissent considérablement la chute. Si une tempête souffle à ce moment-là, le vol peut se prolonger sur 1 ou 2 kilomètres. Les espèces à fruits lourds comme les chênes, les châtaigniers ou les hêtres ne parviendraient jamais à franchir de telles distances. Du reste, plutôt que de tenter de construire de quelconques dispositifs d'aide au vol, elles préfèrent passer des accords avec le monde animal. Mulots sylvestres, écureuils et geais des chênes apprécient leurs graines riches en lipides et en glucides. Ils les enfouissent dans le sol forestier en prévision de l'hiver et ne les retrouvent plus ou bien les abandonnent. Il peut aussi arriver qu'un mulot à collier constitue lui-même le repas d'une hulotte affamée. Ce n'est qu'ainsi que ce tout petit rongeur peut lui aussi contribuer, quoique très modestement, à la reproduction des arbres. Il est fréquent que les animaux stockent leurs réserves directement au pied du gros hêtre dont ils ont glané les faînes. Des petites cavités sèches se forment souvent à la base du fût de l'arbre, entre les départs des racines, qui sont presque toujours habitées. Si un mulot sylvestre y a élu domicile, des petits tas de faînes vides s'amoncellent devant. Des dépôts sont tout de même dispersés dans le sol forestier à quelques mètres de la mère-arbre. Ces réserves de graines qui germeront au printemps suivant, après la mort du mulot, formeront une nouvelle forêt.

Parmi les transporteurs de grosses graines, le geai est celui qui parcourt les plus grandes distances. Il cache les glands et les faînes à quelques kilomètres de là où il les a ramassés, ce qui n'est pas si mal. L'écureuil se limite à un rayon de seulement 100 ou 200 mètres autour du point de collecte, tandis que le mulot enterre ses réserves à 10 mètres tout au plus de son fournisseur. À ce rythme, les espèces à gros fruits ne risquent pas de se déplacer très vite ! En compensation, le confortable matelas de substances nutritives dont dispose la graine lui assure douze mois de tranquillité.

Les peupliers et les saules sont beaucoup plus prompts à explorer de nouveaux territoires. Ainsi lorsqu'une éruption volcanique rebat les cartes, ils sont les premiers sur les lieux. Toutefois, comme ils n'ont pas une grande longévité et laissent filtrer beaucoup de lumière jusqu'au sol, les espèces qui arrivent après eux y trouvent elles aussi leur compte. Mais pourquoi vouloir se déplacer ? Une forêt ne peut-elle demeurer là où elle se plaît et prospérer en paix ? L'exploration de nouveaux espaces est essentiellement dictée par la modification permanente du climat. Cette modification s'effectue sur plusieurs siècles, elle est très lente, mais en dépit de toutes les possibilités d'adaptation, un jour le climat devient trop chaud, trop froid, trop sec ou trop humide pour une espèce donnée. Elle doit alors céder la place à d'autres, et céder la place, cela signifie migrer. Les forêts de nos contrées sont en pleine migration. La cause n'en est pas le seul réchauffement climatique, quoiqu'il nous vaille déjà une augmentation moyenne des températures de 1 °C. Le passage de la dernière période glaciaire à une période interglaciaire plus chaude joue aussi un rôle. Les périodes glaciaires sont les plus déstabilisantes. Lorsque le climat devient durablement plus froid, les arbres doivent se déplacer vers des contrées plus chaudes. Si la transition s'effectue lentement, sur plusieurs générations, l'installation en zone méditerranéenne réussit. En revanche, si la glace progresse rapidement, elle submerge les forêts et engloutit les espèces qui lambinent. Il y a trois millions d'années, nous trouvions, sous nos latitudes, outre le hêtre commun que nous connaissons, également le hêtre à grandes feuilles. Mais tandis que le hêtre commun parvenait à gagner le sud de l'Europe, la variété à grandes feuilles, plus lente, s'est éteinte. L'une des raisons de cette extinction est la barrière naturelle des Alpes qui fermait la voie vers le sud. Pour la franchir, les arbres devaient s'implanter en haute altitude puis redescendre de l'autre côté. Or même en période interglaciaire, il fait trop froid pour que des arbres s'implantent en haute altitude, si bien que le destin de nombreuses espèces s'est arrêté à la limite de la forêt. Le hêtre à grandes feuilles est aujourd'hui exclusivement présent dans l'est de l'Amérique du Nord. Les représentants actuels de l'espèce ont survécu dans cette partie du continent américain, car aucune chaîne de montagnes transversale est-ouest ne ferme l'accès vers le sud. Les arbres ont pu migrer vers des zones plus chaudes quand le froid s'est installé, puis remonter vers le nord au changement de climat suivant.

Notre hêtre commun, lui, est parvenu à contourner les Alpes avec quelques autres espèces et à survivre dans des endroits protégés jusqu'à la période interglaciaire actuelle. Ces espèces comparativement peu nombreuses, qui depuis les derniers millénaires ont toute liberté pour remonter vers le nord, talonnent littéralement la glace. Dès qu'il fait un peu plus chaud, les semis ont une chance de se développer et de devenir des arbres qui, à leur tour, produisent et disséminent des graines qui progressent vers le nord, kilomètre après kilomètre. La vitesse moyenne de la migration est de 400 mètres par an. Les hêtres sont particulièrement lents. Leurs faînes ne sont pas aussi souvent prises en charge par les geais que les glands des chênes, si bien que d'autres espèces, dont les graines sont disséminées par le vent, colonisent les territoires inoccupés beaucoup plus rapidement. Il y a 4 000 ans, quand nos tranquilles hêtres communs sont réapparus, des chênes et des noisetiers occupaient déjà la forêt. Cela ne les a pas perturbés, ou plutôt cela n'a nullement perturbé leur stratégie de germination. Le hêtre supportant beaucoup mieux l'ombre que d'autres espèces, il a pu germer sans problème à leurs pieds. Le peu de lumière que les chênes et les noisetiers laissaient filtrer suffit aux jeunes conquérants pour se développer en hauteur et effectuer une percée dans les houppiers de la concurrence. Ce qui devait arriver arriva : les hêtres dépassèrent les espèces qui s'étaient implantées avant eux et ils s'octroyèrent la lumière qui leur permettait de vivre. Cette impitoyable marche triomphale vers le nord a aujourd'hui atteint le sud de la Suède, mais elle n'est pas terminée. Ou elle ne le serait pas si l'homme n'était pas intervenu. Avec l'apparition du hêtre, nos ancêtres ont commencé à massivement transformer l'écosystème forestier. Ils ont abattu les arbres autour de leurs habitations pour créer des terres agricoles. D'autres zones furent défrichées pour le bétail, puis ces espaces s'avérant insuffisants, les vaches et les porcs furent menés pâturer en forêt. Pour les hêtres, cela fut catastrophique. Leur descendance patiente des siècles au niveau du sol avant d'être autorisée à démarrer pour de bon. Durant cette période, rien ne protège les bourgeons terminaux de l'appétit des herbivores. À l'origine, la densité de mammifères était extrêmement réduite, car ces forêts ne leur offrent que peu de ressources alimentaires. Avant que l'homme entre en scène, les chances d'attendre tranquillement 200 ans sans être dévorés étaient très bonnes. Puis des bergers sont arrivés dont les troupeaux affamés se sont jetés sur les savoureux bourgeons. Sur les parcelles éclaircies par les coupes, des essences se sont imposées qui jusque-là étaient supplantées par les hêtres. La progression post-période glaciaire du hêtre en fut fortement ralentie et les territoires qu'il n'a pas reconquis sont encore nombreux. Ces derniers siècles, s'y est ajouté le développement de la chasse qui, paradoxalement, a entraîné une augmentation sensible des populations de cerfs, de sangliers et de chevreuils. Le nourrissage du gibier pratiqué par les sociétés de chasse, notamment dans le but d'accroître les effectifs de cervidés mâles, a eu pour effet d'en multiplier le taux de présence naturel par cinquante. À l'heure actuelle, l'espace germanophone affiche la densité de grand gibier herbivore la plus élevée au monde, c'est dire les difficultés que rencontrent les jeunes hêtres. La sylviculture limite elle aussi son extension. Dans le sud de la Suède, les plantations d'épicéas et de pins occupent les territoires naturels des hêtres. Hormis quelques individus isolés, l'espèce en est quasiment absente, mais elle attend son heure. Dès que l'homme aura tourné les talons, elle reprendra sa marche vers le nord.

Le plus lent à se déplacer est le sapin blanc, appelé aussi sapin commun ou sapin pectiné, notre espèce de sapin locale. Il doit son nom le plus courant à la couleur gris argenté de son écorce, qui permet de facilement le distinguer de l'épicéa, à l'écorce brun-rouge. De même que la plupart des espèces, le sapin blanc a survécu à la période glaciaire dans le sud de l'Europe, probablement en Italie, dans les Balkans et en Espagne[49]. De là, il est remonté vers le nord à la suite des autres espèces, mais à la modeste vitesse de 300 mètres par an. Les épicéas et les pins, dont les graines sont plus légères et volent mieux, ont eu vite fait de le devancer. Grâce au geai, même le hêtre et ses lourdes faînes a été plus rapide que lui. Il semble bien que le sapin blanc ait développé une mauvaise stratégie, car, en dépit de leur petite voile, ses graines volent mal et leur taille est trop réduite pour une dissémination par les oiseaux.

Il existe bien des espèces qui mangent les graines de sapins, mais leur contribution est insignifiante. C'est le cas du casse-noix moucheté. Quoique beaucoup plus intéressé par les pignes du pin cembro, il collecte et fait aussi des réserves de graines de sapins. Cependant, à la différence du geai qui cache ses provisions de glands et de faînes un peu partout dans la terre, le casse-noix moucheté stocke ses réserves dans des lieux protégés et secs. Même s'il lui arrive d'en oublier, le manque d'eau ne permet pas la germination. Le sapin blanc n'a donc pas la vie facile. Alors que la plupart de nos espèces locales se rapprochent de la Scandinavie, lui n'a pas dépassé le Harz*. Mais que sont quelques centaines d'années de retard pour des arbres ? D'autant que les sapins, qui supportent l'ombre épaisse, peuvent se développer même sous des hêtres et parviennent ainsi, progressivement, à s'immiscer même dans des forêts anciennes. Ils ont toutefois un talon d'Achille : le goût des chevreuils et des cerfs pour leurs plantules. Au point que l'espèce, si elle parvient ici et là à former de grands arbres, ne réussit pas encore à se propager.

Pourquoi le hêtre est-il chez nous si performant ? Ou, posons la question d'une autre façon : pourquoi, s'il parvient si bien à s'imposer sur les autres espèces, n'est-il pas représenté partout dans le monde ? La réponse est simple. Seul un climat océanique (tel que celui dont nous bénéficions grâce à la relative proximité de l'océan Atlantique) lui permet de donner la pleine mesure de ses points forts. Hormis en haute altitude (où le hêtre ne pousse pas), les écarts de températures sont modérés. Des étés frais succèdent à des hivers doux et avec 500 à 1 500 millimètres par an, le

* Les grandes forêts de conifères du Harz sont essentiellement situées en Basse-Saxe, au nord-ouest de l'Allemagne.

volume de précipitations comble les besoins du hêtre. L'eau est un facteur majeur de croissance, et, en la matière, le hêtre marque des points. Pour produire un kilo de bois, il a besoin de 180 litres d'eau. Cela vous paraît beaucoup ? Il en faut jusqu'à 300 litres, soit presque deux fois plus, à la plupart des autres espèces, ce qui a une influence déterminante sur la rapidité de croissance et la capacité à supplanter une éventuelle concurrence. Le manque d'eau étant par exemple inconnu dans leur zone de prédilection, froide et humide de l'Europe septentrionale, les épicéas sont naturellement de gros buveurs. Chez nous, sous des latitudes moyennes, ils ne trouvent ces conditions qu'en altitude, jusqu'à l'étage subalpin. Il y pleut beaucoup et les températures peu élevées réduisent l'évaporation à sa plus simple expression. Rien ne s'oppose à ce que l'on y use et abuse de l'eau disponible. En revanche, dans la plupart des zones de moindre altitude, l'avantage est au sobre hêtre qui continue de former de belles pousses verticales, même les années sèches, et parvient ainsi à rapidement dépasser les gaspilleurs. Avec sa propension à s'octroyer toute la lumière en ne laissant rien pour les autres, sa capacité à créer le climat humide qui lui convient et un sol riche en réserves d'humus, le tout associé à une architecture optimisée pour la collecte de l'eau, l'espèce est pour le moment imbattable chez nous. Mais seulement chez nous. Dès que le climat devient plus continental, le hêtre commence à souffrir. Les étés chauds et secs et les hivers rigoureux ne lui sont pas favorables, et il doit alors laisser la place à d'autres espèces, comme le chêne. Ces conditions sont celles de l'est de l'Europe. Les étés de Scandinavie lui conviendraient, mais les hivers longs et froids ne sont pas pour lui. Côté sud, il ne peut s'implanter qu'en altitude, où il fait un peu moins chaud. Ses exigences climatiques limitent l'aire naturelle du hêtre au centre de l'Europe. Ce n'est que temporaire ; le réchauffement climatique entraînant une hausse générale des températures, il va bientôt pouvoir se propager vers le nord. Le sud va devenir simultanément trop chaud pour lui de sorte que son aire de répartition ne va pas s'agrandir, mais simplement se déplacer vers le nord.

Lentement mais sûrement

POURQUOI LES ARBRES VIVENT-ILS AUSSI LONGTEMPS ? Ne pourraient-ils pas faire comme les plantes herbacées, pousser à plein régime pendant la saison estivale, fleurir, former des graines puis retourner à l'état d'humus ? Cela présenterait un avantage considérable, car chaque changement de génération offre une chance de modification génétique. Les accouplements ou les fécondations sont particulièrement propices aux mutations, or, dans un environnement en perpétuelle évolution, s'adapter est une question de survie. Les souris se reproduisent toutes les six à sept semaines, les mouches sont encore plus rapides. Lors de ces successions, il arrive régulièrement que des lésions induisent des modifications des gènes. Dans les cas favorables, ces modifications font apparaître un caractère particulier. C'est ce que l'on appelle l'évolution. En donnant l'avantage aux caractères adaptés à de nouvelles conditions environnementales, le phénomène assure la survie des espèces. Plus le renouvellement des générations est court, plus les animaux ou les végétaux peuvent s'adapter rapidement. Les arbres semblent ne trouver aucun intérêt à ce que la science considère pourtant comme une nécessité. Ils préfèrent accumuler les années, en moyenne jusqu'à plusieurs centaines, parfois même plusieurs milliers. Ils se reproduisent au moins tous les cinq ans, toutefois il est rare que cela débouche sur une véritable succession. À quoi bon produire des centaines de milliers de semences s'il n'y a pas de place vacante ? Tant que la mère-arbre capte l'essentiel de la lumière, rien ou presque ne se développe sous son houppier, je l'ai déjà évoqué. Même s'ils présentent d'excellents nouveaux caractères, les enfants-arbres doivent souvent patienter des centaines d'années avant de pouvoir eux-mêmes fleurir et transmettre ces gènes. Tout cela va beaucoup trop lentement. Comment les arbres le supportent-ils ?

L'histoire récente du climat est marquée par une alternance de hauts et de bas. Un grand chantier de Zurich a permis de mettre en évidence la brutalité de ces variations. Au cours des travaux, des ouvriers ont mis au jour des souches d'arbres en relativement bon état de conservation qu'ils ont négligemment mises de côté. Un scientifique s'y est intéressé et en a prélevé des échantillons pour en déterminer l'âge. Il est apparu que les souches provenaient de pins qui poussaient sur le site près de 14 000 ans auparavant. Les variations de température que ces souches révélèrent furent plus surprenantes encore. Elles ont baissé de 6 °C en l'espace de seulement trente ans, puis sont remontées tout aussi brutalement. Cela ressemble aux pires scénarios de réchauffement climatique qui nous attendraient d'ici à 2100. Le XXe siècle, avec les glaciales années 1940, les records de sécheresse des années 1970 et le réchauffement des années 1990 a déjà sérieusement malmené la nature. Deux raisons expliquent que les arbres supportent cela avec stoïcisme. Ils possèdent une grande capacité d'adaptation aux conditions climatiques et une grande diversité génétique. Ainsi notre hêtre commun pousse-t-il aussi bien au sud de la Suède qu'en Sicile, deux milieux qui hormis un nom commençant par S ont peu de chose en commun. Les bouleaux, les pins et les chênes sont eux aussi très tolérants. Pourtant, cela ne suffit pas à relever tous les défis. Avec les températures et les précipitations qui fluctuent, de nombreuses espèces de champignons et d'animaux se déplacent du sud vers le nord et inversement. Cela signifie que les arbres doivent s'adapter aussi à de nouveaux parasites. Au surplus, le climat peut se modifier à un point tel que les capacités d'adaptation soient dépassées. N'ayant ni jambes pour se déplacer ni d'aide à attendre de quiconque, les arbres doivent trouver une solution par eux-mêmes. Une première possibilité d'action s'offre à eux au tout début de leur vie. Les graines peuvent en effet réagir aux conditions environnementales, alors qu'elles mûrissent à l'intérieur des fleurs, peu après la fécondation. S'il fait particulièrement chaud et sec, les gènes correspondants seront activés. Il est ainsi prouvé que de telles conditions rendent les semis de pins plus résistants à la chaleur qu'ils ne l'étaient jusque-là. Toutefois, les plantules perdent en même temps une résistance au froid équivalente[50]. Les arbres ont d'autres possibilités de réagir à l'âge adulte. Du jour où ils ont dû affronter le manque de précipitations d'une période de sécheresse, ils réduisent sensiblement leur consommation d'eau et ne pompent plus le sol à tout va dès le début de l'été. Les feuilles et les aiguilles sont les organes par lesquels s'évapore le plus d'eau. Dès que l'arbre constate que le manque d'eau s'aggrave et que la soif s'installe dura-blement, il renforce ses protections. La fine couche cireuse de la face supérieure de ses feuilles s'épaissit, en même temps plusieurs couches de cellules externes, qui elles aussi préservent des déperditions d'eau, se superposent. L'arbre ne peut plus respirer aussi bien qu'avant, certes, mais toutes les écoutilles sont fermées.

Quand l'arbre a épuisé toutes ses ressources, la diversité génétique entre en jeu. Ainsi que nous l'avons vu plus haut, le renouvellement des générations est particulièrement lent chez les arbres. Toute possibilité d'adaptation rapide est donc exclue. Mais d'autres solutions existent. Dans une forêt naturelle, les arbres d'une même espèce possèdent des patrimoines génétiques extrêmement différents. Chez l'homme, nous sommes au contraire génétiquement très proches, tous parents, du point de vue de l'évolution. En comparaison, les hêtres d'un peuplement donné sont génétiquement aussi éloignés les uns des autres que des espèces animales différentes. Il en résulte que, pris isolément, chaque arbre possède des caractéristiques distinctes. Certains supportent mieux la sécheresse que le froid, d'autres sont redoutablement équipés contre les insectes, tandis que d'autres encore se moquent éperdument d'avoir les pieds dans l'eau. Quand les conditions environnementales se modifient, les individus les moins armés pour affronter la nouvelle donne disparaissent. Quelques arbres sénescents meurent aussi, mais l'essentiel de la forêt se maintient. Il peut aussi arriver que des conditions extrêmes déciment presque tous les arbres d'une même espèce sans que cela ait de conséquences dramatiques. La plupart du temps, il en reste toujours suffisamment pour fructifier et fournir de l'ombre aux générations suivantes. J'ai par exemple calculé, en me basant sur les données scientifiques dont nous disposons, que même si nous devions un jour connaître les mêmes conditions climatiques qu'en Espagne, la majeure partie des arbres des anciennes hêtraies de mon district résisterait. À une condition : que des coupes ne déstabilisent pas la structure sociale de la forêt et qu'elle puisse continuer de réguler elle-même son environnement climatique.

Avis de tempête

Dans la forêt, tout ne se déroule pas toujours comme prévu. Tout en étant remarquablement stable et traversant souvent plusieurs siècles sans modifications notables, l'écosystème forestier n'en est pas moins exposé aux catastrophes naturelles. J'ai déjà évoqué les tempêtes hivernales. Lorsqu'un fort coup de vent ravage une forêt entière de conifères, il s'agit habituellement de boisements artificiels de pins et d'épicéas. Souvent implantés sur des sols endommagés, trop compactés par le passage des engins forestiers pour que les racines se développent correctement, leur ancrage est très insuffisant. Le fait que ces conifères soient chez nous beaucoup plus grands que dans leur habitat d'origine du nord de l'Europe et qu'ils conservent leurs aiguilles durant la mauvaise saison aggrave encore la situation. Leur importante prise au vent s'associe à l'effet de levier du tronc. Dans ces conditions, rien de plus normal que le système racinaire ne puisse remplir son office.

Mais il existe aussi des phénomènes météorologiques auxquels même les forêts naturelles ne résistent pas, quoique les dommages soient habituellement très localisés : les

213

tornades. Leurs vents tourbillonnants et les mouvements d'air qui changent de direction en quelques secondes mettent tous les arbres à rude épreuve. Comme les tornades se produisent souvent en association avec un orage et que, sous nos latitudes, ceux-ci surviennent essentiellement en été, une nouvelle composante entre en jeu : la présence du feuillage. Durant la saison « normale » des tempêtes, d'octobre à mars, les feuillus sont entièrement dénudés pour offrir un minimum de résistance au vent. En revanche, rien n'est prévu pour les intempéries inattendues en juin ou juillet. Si une tornade balaye alors la forêt, son tourbillon arrache et pulvérise les houppiers. Les chandelles déchiquetées que l'accident climatique laissera derrière lui témoigneront longtemps de la puissances des éléments.

Les tornades sont cependant trop rares pour justifier une évolution des stratégies de défense. D'autres dommages associés aux orages sont beaucoup plus fréquents, par exemple la casse des houppiers par forte pluie. La quantité d'eau qui s'abat sur les feuilles en quelques minutes se chiffre en tonnes. Les arbres, tout au moins les feuillus, ne sont pas conformés pour gérer une telle pression. Le surcroît de poids qu'ils ont à supporter d'ordinaire est celui de la neige, en hiver, dont l'essentiel traverse la ramure puisque les feuilles sont déjà tombées. En été, le problème ne se pose pas et une pluie normale ne met ni hêtre ni chêne en péril. Tout arbre correctement développé ne devrait rien avoir à redouter d'une averse, même torrentielle. La situation se complique quand le tronc ou les branches sont mal formés. Une branche régulière forme un arc. Elle part du tronc, pousse un peu vers le haut, poursuit sa croissance horizontalement, puis s'affaisse légèrement. Cette forme lui permet d'amortir les pressions exercées par le haut sans se casser. C'est extrêmement important, car chez les vieux arbres les charpentières peuvent mesurer plus de 10 mètres de longueur. Il en résulte d'énormes effets de levier qui exercent une pression importante à la naissance des branches. Certains arbres n'en préfèrent pas moins s'affranchir du modèle certifié. Chez eux, les branches s'éloignent du tronc puis s'arrondissent pour partir vers le haut et continuer ainsi sans jamais changer de direction. Si un poids fait plier ces branches, elles n'ont pas l'élasticité nécessaire pour amortir la pression et se cassent, car les fibres du dessous de la branche (au niveau de la courbure extérieure) sont comprimées et les fibres intérieures, distendues. Parfois, c'est le tronc lui-même qui présente des points faibles et s'effondre lors d'une pluie d'orage plus forte qu'une autre. Ainsi la sélection naturelle exclut-elle de la course les arbres déraisonnables.

Mais il arrive aussi que les arbres ne soient en rien responsables du trop grand poids qu'ils doivent supporter. Les mois de mars et avril peuvent être redoutables quand la neige, jusque-là légère et poudreuse, se transforme en lourde neige mouillée. La taille des flocons est le premier indicateur du danger. Quand elle atteint celle d'une pièce de deux euros, la situation devient périlleuse. La neige mouillée contient beaucoup d'eau et est très collante. Elle adhère aux branches et s'y accumule jusqu'à la rupture. Les arbres adultes y perdent beaucoup de branches. Chez les adolescents, toujours en attente de pouvoir grandir et s'épaissir, c'est plus grave. Avec leurs silhouettes dégingandées et leurs petits houppiers, ils cassent sous le poids des paquets de neige ou ils s'effondrent et ne parviennent jamais à complètement se redresser. Quant aux tout jeunes arbustes, leur petite taille les préserve encore des dommages de la neige pour quelques années. Regardez autour de vous, lors d'une prochaine promenade en forêt, vous découvrirez un nombre impressionnant de jeunes arbres définitivement courbés ou tordus.

Le givre a des effets aussi dramatiques que la neige, mais quelle merveille ! Les cristaux de glace dont il saupoudre la végétation magnifient n'importe quel paysage. Quand des températures négatives surviennent par temps de brouillard, les microgouttelettes d'eau en suspension dans l'air se transforment en cristaux de glace au contact des branches ou des aiguilles sur lesquelles elles se déposent. En quelques heures, toute la forêt est blanche alors qu'aucun flocon de neige n'est tombé. Si la situation persiste plusieurs jours, des centaines de kilos de givre peuvent ainsi s'accumuler sur les ramures. Quand le soleil perce à travers les nuages, le spectacle est féerique. Mais les arbres souffrent et commencent à s'arquer dangereusement sous la pression. Malheur à ceux dont le bois présente des points de faiblesse. Un craquement sec résonne dans la forêt et le houppier tombe au sol.

Cette conjonction de phénomènes atmosphériques se produit en moyenne tous les dix ans ; un arbre est donc susceptible de devoir y faire face jusqu'à cinquante fois dans sa vie. Le danger est pour lui d'autant plus grand qu'il n'est pas intégré dans une communauté de congénères. Les solitaires tout environnés de brouillard glacé sont beaucoup plus souvent touchés que les individus de forêts denses, vivant en réseau, qui peuvent s'appuyer sur leurs voisins. Au surplus, le vent ayant tendance à passer au-dessus des houppiers, en forêt le givre s'accumule tout au plus sur les cimes.

La météo a d'autres flèches dans son carquois : la foudre par exemple. Peut-être connaissez-vous ce vieil adage qui conseille, lors de la survenue d'un orage en forêt, d'éviter les chênes et de rechercher les hêtres ? Il repose sur le fait que l'écorce des vieux chênes présente souvent de profondes balafres de plusieurs centimètres de largeur. Je n'ai jamais rien observé de tel sur le tronc des hêtres, mais en conclure que les hêtres ne sont jamais frappés par la foudre est inexact et dangereux. Les vieux hêtres sont aussi souvent touchés que n'importe quel arbre, ils n'offrent pas plus de protection. La raison pour laquelle la foudre les endommage moins que les autres essences tient à l'absence d'aspérités de leur écorce. Lorsqu'il pleut lors d'un orage, l'eau qui ruisselle sur la longue colonne du tronc forme un film continu. L'eau conduisant l'électricité beaucoup mieux que le bois, le courant le parcourt seulement en surface. L'écorce des chênes, elle, est rugueuse. L'eau qui s'écoule sur le tronc forme des petites cascades, des centaines de minichutes d'eau qui s'égouttent sur le sol. La décharge électrique, constamment interrompue, se propage à l'intérieur de l'arbre. Or le bois humide des cernes annuels externes qui assurent le transport de l'eau au sein de l'arbre est peu résistant. L'importante quantité d'énergie qui parcourt le tronc le fait exploser et imprime durablement les séquelles de ce qu'il a vécu dans l'écorce.

Avec leur écorce profondément fissurée, les douglas, originaires d'Amérique du Nord, présentent un tableau clinique identique. Mais il semble que leurs racines soient beaucoup plus sensibles. Dans mon seul district, j'ai déjà eu deux fois l'occasion de constater, après un orage, qu'un douglas frappé par la foudre n'était pas le seul arbre à avoir péri, mais également dix autres de ses congénères dans un rayon de 15 mètres autour de lui. Ils étaient donc manifestement reliés par leurs racines à la victime de la foudre, qui cette fois-là ne leur a pas transmis des nutriments, mais une décharge électrique mortelle.

Des orages à forte activité électrique peuvent déclencher des incendies. J'ai vécu cela une fois, quand des pompiers sont intervenus en pleine nuit pour éteindre un petit feu dans la forêt communale. L'arbre qui avait été foudroyé était un vieil épicéa creux. Les flammes qui dévoraient le

bois pourri à l'intérieur du tronc, à l'abri de la pluie torrentielle, s'élevaient haut dans le ciel. L'incendie fut rapidement
éteint, mais même sans aide extérieure, il ne se serait pas
passé grand-chose. La forêt alentour étant complètement
trempée, une propagation des flammes était très improbable.
Dans le centre de l'Europe, les feux de forêt n'ont pas été
anticipés par la nature. Les feuillus, qui autrefois prédo-
minaient, ne s'enflamment pas car leur bois ne contient ni
résines ni essences végétales. Il en résulte qu'aucune espèce
n'a développé de mécanisme quelconque qui réagirait à la
chaleur. Cela existe ailleurs, les chênes-lièges du pourtour
méditerranéen le prouvent. L'écorce épaisse dont ils sont
revêtus les isole de la chaleur des feux rampants. L'aubier
n'étant pas touché, les bourgeons dormants qui se trouvent
sous l'écorce peuvent rapidement se développer et former
de nouvelles branches après un incendie.

Plus au nord, seules les monotones plantations d'épicéas et
de pins, dont le tapis d'aiguilles s'assèche comme du papier,
peuvent devenir la proie des flammes. Mais pourquoi diable
l'écorce et les aiguilles des conifères contiennent-elles autant
de substances inflammables ? Si les incendies sont communs
dans leur aire naturelle de répartition, ils devraient diffici-
lement s'enflammer. En réalité, s'ils ne sont pas équipés
pour résister aux flammes, c'est qu'il ne devrait pas y avoir
de feu. Un arbre comme le vieil épicéa de Dalécarlie qui a
dépassé l'âge canonique de 9 000 et quelques années n'exis-
terait pas si un incendie ravageait les forêts tous les 200 ans.
Pour moi, ce sont les hommes qui depuis des millénaires
sont responsables de la destruction des forêts par le feu,
par négligence et sans volonté de nuire, par exemple en
faisant cuire leurs aliments. Les causes naturelles, comme
la foudre, qui est effectivement à l'origine de quelques petits
foyers localisés, sont des phénomènes trop rares pour que

les espèces européennes y aient développé une adaptation. Tendez l'oreille la prochaine fois qu'il sera question des origines d'un incendie de forêt aux informations : la plupart du temps, c'est l'homme qui est incriminé. Il existe un autre phénomène, moins dangereux mais pas moins douloureux pour les arbres, dont j'ai longtemps ignoré l'existence. Notre maison forestière est située sur une arête à près de 500 mètres d'altitude. Les ruisseaux profondément encaissés qui nous environnent ne causent pas de nuisances à la forêt, au contraire. Il n'en va pas de même des cours d'eau plus importants. Leurs crues régulières ont entraîné la formation d'écosystèmes tout à fait particuliers sur leurs rives : les ripisylves. Les essences susceptibles de s'implanter dépendent du type et de la fréquence des crues. S'il y a du courant et si les hautes eaux se maintiennent plusieurs mois par an, le paysage sera composé de saules et de peupliers. Ces espèces supportent les longues stations dans l'eau. Ces conditions, que l'on rencontre habituellement à proximité des berges, forment la ripisylve de bois tendre. Plus loin du cours d'eau, et souvent quelques mètres plus haut, les débordements sont plus rares. Ils se produisent à la fonte des neiges, au printemps, et forment de grandes nappes où le courant est peu important. En règle générale, l'eau s'est retirée au moment du débourrement. Ces conditions conviennent bien aux chênes et aux ormes. Ils composent la ripisylve à bois dur, un écosystème qui, au contraire de celle à bois tendre, est très sensible aux hautes eaux estivales. Si elles se retrouvent les pieds dans l'eau, ces essences d'ordinaire robustes risquent de dépérir par asphyxie de leurs racines.

C'est cependant l'hiver qu'un fleuve peut infliger aux arbres des blessures vraiment douloureuses. Lors d'une excursion dans une ripisylve de bois dur du cours moyen de l'Elbe, j'ai été frappé de découvrir que la totalité des troncs présentait des entailles. Surtout, toutes ces blessures étaient situées à une même hauteur de 2 mètres. Je n'avais jamais vu une chose pareille et me perdais en conjectures. Les autres membres de notre groupe étaient tout aussi perplexes, jusqu'à ce que le représentant de la Réserve de biosphère* nous apprenne que les blessures étaient dues à la glace. Lors des hivers particulièrement rigoureux, si l'Elbe gèle, de gros blocs de glace se forment. Au printemps, quand l'air et l'eau se réchauffent, ils dérivent dans les eaux en crue parmi les chênes et les ormes et heurtent violemment les troncs. Le niveau du fleuve étant uniforme, les arbres sont tous blessés à la même hauteur.

Si le réchauffement climatique s'installe, la débâcle de l'Elbe fera un jour partie du passé. Mais avec leurs troncs balafrés, au moins les arbres les plus vieux, qui ont connu toutes sortes d'aléas climatologiques depuis le début du XXᵉ siècle, témoigneront-ils encore longtemps du phénomène.

---

* Label international attribué par l'Unesco à des espaces protégés dont l'objectif est d'assurer la bonne conservation des éléments de la biodiversité.

Les nouveaux venus

LA MIGRATION DES ARBRES INDUIT UNE TRANSFORMATION continuelle non seulement de la forêt, mais de toute la nature. C'est pourquoi dans de nombreux cas, l'homme échoue à conserver certains paysages. Ce que nous voyons n'est qu'un court épisode dans cette immobilité apparente. En forêt, l'illusion est presque parfaite, puisque les arbres comptent parmi les organismes les plus lents de notre environnement et qu'il faut de nombreuses générations humaines pour percevoir les changements au sein des boisements naturels. L'un de ces changements est l'arrivée de nouvelles espèces. Les premiers explorateurs, qui rapportaient un petit souvenir végétal de leurs expéditions, puis l'exploitation forestière moderne ont introduit un nombre considérable d'espèces qui ne seraient jamais parvenues à s'implanter chez nous sans leur concours. Aucun poème, aucune chanson populaire ne mentionne le douglas, le mélèze du Japon ou le sapin de Vancouver. Ils ne sont pas encore inscrits dans notre mémoire collective. En forêt, ces immigrés occupent une place à part. À la différence des espèces qui ont migré naturellement, ils sont arrivés chez nous sans leur écosystème naturel. Seules leurs graines ont été importées; la plupart des champignons et tous les insectes qui leur étaient associés sont restés dans leur pays d'origine. Tous ont ainsi pu prendre un nouveau départ. Cela présente assurément des avantages. Ils n'ont rien à redouter d'attaques parasitaires, du moins durant les premiers siècles. C'est une situation analogue à celle des hommes vivant en Antarctique. L'air y est quasiment stérile et exempt de poussière : un habitat idéal pour les allergiques, s'il n'était pas loin de tout. Changer d'endroit sur la planète grâce à notre aide est comme une grande bouffée d'oxygène pour les arbres. Ils trouvent les champignons mycorhiziens dont ils ont besoin pour prospérer parmi les espèces non spécialisées et ne manquent ainsi de rien. Dans nos forêts européennes, ils deviennent de grands individus éclatants de santé, au surplus en un temps record. Pas étonnant qu'ils donnent l'impression d'être supérieurs aux espèces locales. Du moins dans certains endroits. Les espèces qui migrent naturellement ne s'implantent que là où toutes les conditions de leur bien-être sont réunies. Pour qu'elles s'imposent sur les dominants traditionnels de la forêt, le climat doit leur convenir, mais également la nature du sol, son humidité, ainsi que celle de l'air. L'introduction artificielle d'une espèce est un coup de poker. Le cerisier tardif est un arbre à feuillage caduc indigène d'Amérique du Nord. Dans son habitat d'origine, il développe de superbes troncs et produit un bois d'excellente qualité. Quand ils l'ont introduit chez eux, les forestiers européens n'en espéraient pas moins. Ils ont rapidement déchanté : dans son nouvel environnement, le cerisier tardif est tordu, pousse de guingois, atteint à peine 20 mètres de hauteur et a une prédilection pour le couvert des pins du nord et de l'est de l'Allemagne. L'espèce est tombée en disgrâce, mais il est impossible de s'en débarrasser car les chevreuils et les cerfs dédaignent les plantules en raison de leur amertume. Ils préfèrent brouter les pousses de hêtres, de chênes, voire, en cas de pénurie, de pins. Las, ils délivrent ainsi le cerisier tardif d'une encombrante concurrence si bien qu'il peut s'étendre et se propager de plus belle. Le douglas n'est pas à l'abri de mauvaises surprises non plus. En cent ans de culture, il est devenu en maints endroits un impressionnant géant tandis que d'autres boisements ont dû être prématurément récoltés pour éviter un désastre, ainsi que je l'ai vécu durant mon année de stage de fin d'études. Un petit peuplement de douglas d'à peine 40 ans présentait des signes de dépérissement précoce. Les scientifiques se sont longtemps interrogés sur les causes du problème. Ce n'étaient pas des champignons et aucun insecte ne pouvait être incriminé. Il s'avéra finalement que les douglas souffraient de la haute teneur en manganèse du sol. Apparemment, le douglas ne s'en accommode pas. À vrai dire, «le douglas» en tant que tel n'existe pas, car les individus importés en Europe sont issus de multiples sous-espèces possédant des caractéristiques très différentes. Celles originaires des côtes de l'océan Pacifique sont parfaitement adaptées. Leurs semences ont cependant été mélangées à celles de douglas continentaux poussant loin de la mer. Pour compliquer l'affaire, les deux sous-espèces se sont abondamment croisées pour engendrer une descendance chez laquelle les caractéristiques de l'une ou l'autre apparaissent de façon totalement imprévisible. Malheureusement, ce n'est souvent qu'à partir de 40 ans que la bonne ou la mauvaise adaptation de l'arbre se manifeste. Si l'environnement lui convient, il conserve ses solides aiguilles d'un vert foncé tirant sur le bleu et un houppier dense et touffu qui ne laisse pas filtrer la lumière. Si ses exigences ne sont pas comblées, il dépérit. Les troncs des hybrides qui ont hérité de trop de gènes continentaux commencent ainsi à sécréter de la résine et leurs houppiers s'éclaircissent. En fait, ce n'est qu'une cruelle correction de la nature. Le processus peut être lent, se dérouler sur des décennies, mais les individus génétiquement inadaptés sont tôt ou tard exclus. Pourtant, nos hêtres communs pourraient bien rapidement renvoyer ces intrus chez eux. Il leur suffit de mettre en œuvre la stratégie qu'ils infligent aux chênes. Leur capacité à se développer sous le couvert de grands arbres, dans la pénombre, donne à long terme un avantage aux hêtres sur les douglas. La progéniture de ces derniers a besoin de beaucoup de lumière pour grandir ; l'ombrage de nos feuillus locaux ne lui convient pas du tout. L'unique chance des petits douglas de prospérer est que l'homme leur vienne en aide en abattant les arbres qui les privent de soleil.

Si le nouvel arrivant est génétiquement très proche des espèces locales, la situation devient dangereuse. C'est le cas du mélèze du Japon et du mélèze d'Europe. Ce dernier pousse souvent en zigzag ou courbé et de surcroît peu rapidement, il est donc fréquemment remplacé par son cousin japonais depuis le siècle dernier. Les deux espèces se croisent facilement. Les formes hybrides qui en résultent risquent à long terme de signer la disparition des derniers véritables mélèzes d'Europe. Mon propre district est le théâtre de croisements et mélanges entre ces mélèzes, mais je dois préciser qu'aucune des deux espèces n'est chez elle dans l'Eifel. Le peuplier noir est menacé d'un même destin. À force de se croiser avec des peupliers hybrides, cultivars issus de croisements avec le peuplier canadien, il risque à terme de disparaître.

Pour autant, la plupart des espèces sont sans danger pour les arbres locaux. Si nous ne les entretenions pas, une majorité d'entre elles ne se maintiendrait pas au-delà de deux siècles. Toutefois, même avec notre aide, la survie à long terme des nouveaux venus est toujours incertaine. Leurs parasites spécialistes circulent eux aussi d'un continent à l'autre. Il ne s'agit pas, bien sûr, d'importation volontaire, il ne viendrait à l'idée de personne d'introduire des organismes nuisibles. Mais les flux de marchandises, par exemple les importations de bois, offrent aux champignons et aux insectes de multiples opportunités de traverser l'Atlantique ou le Pacifique pour s'implanter chez nous. Les vecteurs sont souvent les matériaux d'emballages et de conditionnement, notamment les palettes de bois, insuffisamment chauffées pour être correctement déparasitées. L'envoi de marchandises entre particuliers n'est pas exempt de risques non plus. J'ai acquis un jour un vieux mocassin pour ma collection d'objets traditionnels indiens. En ouvrant l'emballage en papier journal, une myriade de bestioles marron sont apparues en même temps que la vieille chaussure de cuir. Je les ai vite attrapées, écrasées et mises à la poubelle. Cela vous déconcerte, de la part d'un défenseur de la nature ?

La raison en est simple : quand ils s'installent, les insectes introduits représentent un danger mortel autant pour les espèces d'arbres importées que pour les espèces indigènes. L'un de ces fléaux est le longicorne asiatique, un coléoptère probablement arrivé de Chine dans des caisses d'emballage. Il mesure 3 centimètres de longueur et possède de longues antennes annelées de 6 centimètres. Avec son corps noir brillant ponctué de taches blanches formant des bandes transversales, c'est réellement un bel insecte. Nos feuillus le trouvent beaucoup moins séduisant, car il dépose sa ponte, œuf par œuf, dans les petites fentes de l'écorce. Chacun donne naissance à une larve, vorace au point de forer des trous gros comme le pouce dans le tronc. Ce sont autant de portes ouvertes aux champignons qui se propagent alors dans l'arbre jusqu'à ce que mort s'ensuive. Jusqu'à présent, le longicorne ne sévit qu'en milieu urbain, où il s'ajoute aux difficultés déjà nombreuses qu'affrontent les arbres des rues. Un jour, peut-être colonisera-t-il aussi des zones boisées. Ce n'est pas certain car, pour être redoutable, la bestiole n'en est pas moins très paresseuse et demeure de préférence dans un rayon de quelques centaines de mètres autour de son lieu de naissance.

Ce n'est pas le cas d'un autre arrivant d'Asie, le *Chalara fraxinea*, un champignon invasif qui semble s'être mis en devoir d'en finir avec les frênes communs d'Europe. Ses fructifications, de tout petits et charmants champignons qui se développent sur les pétioles des feuilles tombées à terre, paraissent inoffensives. C'est un leurre. À l'intérieur de l'arbre, le mycélium qui ravage le bois, provoque la mort des rameaux, puis celle des branches maîtresses, les unes après les autres. Quelques frênes, plus résistants que d'autres, semblent surmonter l'attaque, mais il n'est pas garanti que demain de belles frênaies bordent encore nos cours d'eau. Je me demande parfois si nous, les forestiers, ne participerions pas à la propagation d'espèces invasives. Il m'est ainsi arrivé d'examiner des forêts infestées en Allemagne du Sud, puis de retourner chez moi et de parcourir mon district… avec les mêmes chaussures! Comment être sûr que je n'ai pas transporté de minuscules spores de champignons sous mes semelles? Quel qu'en soit le responsable, le *Chalara fraxinea* est aujourd'hui parvenu à Hümmel; les premiers frênes atteints de chalarose ont été repérés.

Pourtant, l'avenir de nos forêts ne m'inquiète pas. Sur les grands continents, dont le continent eurasien formé par l'Europe et l'Asie qui constitue une très grande entité bio-géographique, toutes les espèces doivent en permanence affronter de nouveaux arrivants. Les ouragans et les oiseaux migrateurs ne cessent de transporter des graines d'arbres étrangers, des spores de champignons ou, pour les oiseaux, de tout petits animaux dans leurs plumes. Un arbre de 500 ans a forcément été confronté à quelques mauvaises surprises au cours de sa vie. Grâce à la grande diversité génétique de chaque espèce, il y a toujours suffisamment d'individus présentant les caractéristiques qui vont permettre de relever le défi. Sans doute, parmi les oiseaux, connaissez-vous certains des nouveaux citoyens apparus « naturellement », sans intervention de l'homme. C'est le cas de la tourterelle turque, arrivée du Bassin méditerranéen seulement dans les années 1930, ou de la grive litorne, un passereau brun foncé moucheté de noir, originaire du nord-est de l'Europe, dont depuis deux cents ans l'aire ne cesse de s'étendre vers l'ouest jusqu'à atteindre aujourd'hui le centre de la France. Les petits voyageurs clandestins que ces oiseaux ont transportés dans leurs plumes à leur insu ne se sont pas encore fait connaître, mais nous pouvons parier qu'ils sont là.

La capacité d'un écosystème forestier à résister aux modifications induites par des espèces étrangères dépend de son intégrité. Les envahisseurs ont d'autant plus de difficultés à s'implanter que la communauté sociale a été peu perturbée et que l'environnement microclimatique dans lequel baignent les arbres est équilibré. Parmi les plantes, l'exemple classique est celui de la grande berce du Caucase. Originaire, comme son nom l'indique, d'Europe de l'Est, elle mesure plus de 3 mètres de hauteur. La beauté de ses inflorescences composées de fleurs blanches en ombelle de 50 centimètres de diamètre lui a valu d'être importée en Europe dès le XIXᵉ siècle. Cantonnée dans un premier temps aux jardins botaniques, elle fut ensuite cultivée comme plante ornementale dans de nombreux jardins... d'où elle s'est échappée pour coloniser des territoires de plus en plus vastes, avec une prédilection pour les prairies humides et les bords de cours d'eau. Cette ombellifère géante est considérée comme très dangereuse, car sa sève contient une toxine qui réagit à la lumière en provoquant de graves brûlures de la peau. Des sommes considérables sont dépensées chaque année pour tenter de l'éradiquer, sans grand succès. L'unique cause de cette propagation aux allures d'invasion est la disparition de la ripisylve originelle des ruisseaux et des rivières. Si celle-ci revient, il fera si sombre sous les houppiers que la plante ne pourra plus se développer. Il en va de même de la balsamine de l'Himalaya ou de la renouée du Japon qui ont pris la place des arbres le long des cours d'eau. Dès que l'homme cessera d'intervenir, dès qu'il laissera les arbres gérer le problème, il sera résolu.

Après avoir tant parlé des espèces étrangères, il n'est pas inutile de préciser ce que l'on entend par «espèces indigènes». Nous avons tendance à tenir pour indigènes les espèces présentes naturellement à l'intérieur de nos fron- tières. L'exemple classique d'espèce animale présente natu- rellement est le loup, réapparu dans la plupart des pays du centre de l'Europe dans les années 1990 et considéré depuis comme faisant partie de la faune locale. Sa présence en Italie, en France et en Pologne est toutefois bien antérieure. Le loup est donc naturellement présent depuis très long- temps en Europe, mais pas dans tous les pays. Cependant cette unité d'espace n'était-elle pas, elle aussi, trop grande? Quand nous disons que le marsouin est naturellement présent en Allemagne, cela implique-t-il qu'il serait indigène dans le Rhin supérieur? Bien sûr que non, ce serait absurde. Les termes «naturellement présent/e» ou «indigène» doivent être beaucoup plus restrictifs et faire référence à une zone naturelle et non aux frontières d'un pays. Ces zones naturelles se définissent par leur configuration environnementale (ressource en eau, type de sol, topographie) et leur microclimat. Les espèces colonisent les lieux leur offrant des conditions environnementales optimales. Ainsi, dans la forêt de Bavière, les épicéas sont naturellement présents à 1 200 mètres d'altitude, donc considérés comme une espèce locale, mais ce n'est plus le cas à seulement un kilomètre de là et 400 mètres plus bas où ce sont les hêtres et les sapins qui prennent la main. Les spécialistes emploient dans ce cas le terme plus précis de « localement indigène ». À la différence du vaste espace défini par nos frontières, le territoire d'une espèce s'apparente donc plutôt à un minuscule micro-État. Quand l'homme s'affranchit des zones naturelles et par exemple plante des épicéas et des pins à basse altitude, il en fait des espèces étrangères. Et nous voilà arrivés à mon sujet favori : la fourmi rousse des bois. Espèce iconique des protecteurs de la nature, elle est répertoriée, protégée et, en cas de conflit, déplacée à grands frais. Rien que de très normal dans le cas d'une espèce menacée. Une espèce menacée ? Non, s'agissant d'une nouvelle venue, la fourmi rousse ne peut pas être considérée comme une espèce menacée. Elle est arrivée dans le sillage des épicéas et des pins cultivés pour leur bois, car elle est partiellement tributaire de leurs aiguilles. Sans ces feuilles, fines, longues et pointues, elle ne pourrait pas construire les grands dômes qui servent de nids aux colonies, preuve qu'elle ne peut pas avoir été présente dans nos forêts de feuillus originelles. Elle recherche de surcroît le soleil, dont les rayons doivent parvenir jusqu'à son nid au moins quelques heures par jour. C'est particulièrement important quand il fait froid à l'ombre, au printemps ou à l'automne, lorsque l'ensoleillement du dôme permet à la colonie de s'adonner quelques jours de plus à ses activités quotidiennes. Les sombres et denses forêts de hêtres ne sont donc pas du tout des habitats appropriés à la vie des fourmis rousses, lesquelles sont certainement très reconnaissantes aux forestiers de planter tant d'épicéas et de pins dont ils veillent à bien dégager les sous-bois.

Respiration

L'ATMOSPHÈRE DE LA FORÊT EST SYNONYME D'AIR PUR et
sain. Quoi de mieux que la forêt pour s'aérer les poumons,
courir ou faire du sport après une semaine en ville ? Cette
bonne réputation n'est pas usurpée. L'air est effectivement
beaucoup plus pur sous les arbres, car ils sont d'excellents
filtres. Les feuilles et les aiguilles qui baignent en permanence dans les flux d'air captent nombre des particules
qui y sont en suspension. Le volume qu'elles interceptent
peut s'élever à 7000 tonnes par an au kilomètre carré[51].
Cela s'explique par l'immense surface foliaire que représentent les houppiers. Elle est par exemple cent fois plus
importante que celle d'une prairie, notamment, cela va
de soi, en raison de la différence de taille entre l'herbe
et les arbres. Les arbres ne filtrent pas uniquement des
substances polluantes, comme des particules de suie, ils
filtrent aussi des poussières soulevées par le vent et des
pollens, même si la part imputable à l'activité humaine est
particulièrement nocive. Acides, hydrocarbures toxiques
et composés azotés se concentrent sous les arbres comme
la graisse dans le filtre de la hotte aspirante d'une cuisine.

Si les arbres assainissent l'air en piégeant les particules en suspension, ils sont aussi à l'origine d'apports particuliers. Ils émettent des messages olfactifs, que nous connaissons bien maintenant, ainsi que les fameux phytoncides évoqués plus haut. Ces émissions varient notablement d'une forêt à l'autre, selon les essences qui la composent. Les forêts de conifères abaissent sensiblement la charge microbienne de l'air, ce que les personnes allergiques perçoivent mieux que quiconque. Mais le reboisement a introduit les épicéas et les pins dans des zones d'où ils sont absents à l'état naturel. Les problèmes que ces espèces importées y rencontrent sont sérieux. Dans la majorité des cas, elles sont plantées à des altitudes peu élevées à la fois trop sèches et trop chaudes. Il en résulte un air très chargé en poussières, nettement visibles en été dans le contre-jour du soleil. Les pins et les épicéas souffrant en permanence de stress hydrique, les scolytes accourent, trop heureux d'envahir ces proies faciles. Les arbres déclenchent alors leur système de défense chimique pour appeler à l'aide, et quantité de messages olfactifs circulent et se télescopent parmi les houppiers. Nous en aspirons une petite partie à chaque bouffée d'air forestier qui pénètre dans nos poumons. Serait-il possible que nous enregistrions inconsciemment l'état d'alerte des arbres ? Les forêts en danger sont des milieux instables peu propices à être colonisés par les hommes. Lorsque l'on sait que nos ancêtres de l'âge de pierre étaient constamment en quête d'un gîte idéal, il n'est pas absurde d'imaginer que nous soyons capables de percevoir intuitivement l'état de notre environnement et décidions du choix de nos lieux de vie en fonction de ce que nous enregistrons. Du reste, selon certaines observations scientifiques, notre pression artérielle augmenterait dans les forêts de conifères et baisserait dans les forêts de chênes[52]. Faites le test et jugez par vous-même dans quel type de forêt vous vous sentez le mieux.

Il y a quelque temps, la presse spécialisée a consacré un article à l'incidence du langage des arbres sur la physiologie du corps humain[53]. Des scientifiques coréens ont comparé les conséquences de la marche en ville et en forêt chez des femmes d'âge moyen. Résultat : la marche en forêt a amélioré la tension, la capacité pulmonaire ainsi que la souplesse des artères, la marche en ville n'a induit aucune modification. Les phytoncides ayant un effet bactéricide, il est probable qu'ils aient aussi une action bénéfique sur notre système immunitaire. Pour ma part, je pense que le «cocktail de messages» excrété par les arbres est l'une des raisons pour lesquelles nous nous sentons si bien en forêt. Du moins dans les forêts intactes. Souvent, les visiteurs avec lesquels j'ai l'occasion d'échanger me parlent du sentiment d'être totalement dans leur élément, de l'impression de plénitude que leur apporte une promenade sous les frondaisons d'une de nos réserves de feuillus. Marcher dans des forêts de conifères, qui chez nous sont le plus souvent plantées et demeurent donc des écosystèmes artificiels vulnérables, ne leur donne pas cette impression de connexion avec l'environnement. Sans doute cela tient-il au fait que dans une forêt de hêtres les arbres échangent plus de signaux de bien-être que d'«appels à l'aide». Ce sont ces messages positifs que nous respirons et qui parviennent à notre cerveau. Je suis persuadé que nous possédons instinctivement la capacité de percevoir l'état de santé d'une forêt. Essayez, vous verrez.

Contrairement à une idée largement répandue, l'air de la forêt n'est pas toujours riche en oxygène. Ce gaz essentiel à la vie est issu de la photosynthèse et libéré par réduction du CO_2. En été, les arbres rejettent chaque jour dans l'atmosphère environ 10 000 kilos d'oxygène par kilomètre carré. Notre consommation quotidienne individuelle étant d'un kilo, cela suffit aux besoins d'un même nombre de personnes. Chaque promenade en forêt équivaut ainsi à un véritable bain d'oxygène. Mais seulement le jour. Si le volume important de glucides que produisent les arbres est stocké pour la fabrication de leur bois, il sert aussi à assouvir leur faim. La consommation de sucre par les cellules produit, comme chez nous, de l'énergie et du CO_2. De jour, cela n'a guère d'incidence sur l'air car, au final, il reste toujours un excédent d'oxygène. La nuit, en revanche, l'activité photosynthétique s'interrompt, et non seulement il n'y a pas de réduction de CO_2, mais le processus s'inverse. L'obscurité est le temps de la consommation, le sucre est brûlé dans les mitochondries, les centrales énergétiques de la cellule, et quantité de CO_2 est libérée. Vous pouvez néanmoins vous promener la nuit en forêt sans risquer l'asphyxie. Un flux d'air permanent veille à ce que tous les gaz présents soient brassés en continu afin que la baisse du taux d'oxygène ne soit pas trop marquée au niveau de la troposphère, la couche de l'atmosphère la plus proche du sol.

Mais comment les arbres respirent-ils ? Une partie de ce qui constitue leurs « poumons » est apparente : ce sont les aiguilles et les feuilles. Elles possèdent, sur leur face inférieure, de minuscules ouvertures en forme de fente qui ressemblent à des petites bouches. C'est par ces orifices que durant le jour l'oxygène est expulsé et le gaz carbonique absorbé, et inversement la nuit. Le chemin est long des feuilles au tronc puis aux racines. Car les troncs, eux aussi, respirent. Si ce n'était pas le cas, l'hiver serait fatal aux feuillus qui perdent leurs organes de respiration aériens supérieurs en se dépouillant de leurs feuilles. L'arbre continuant à vivre au ralenti, et même à poursuivre son développement au niveau des racines, il doit être en mesure de produire de l'énergie à partir de ses réserves, et pour cela il a besoin d'oxygène. C'est pourquoi il est dramatique pour un arbre que le sol autour de son tronc soit trop tassé, au

RESPIRATION

point de boucher les petits canaux aérifères. L'asphyxie des racines, ne serait-ce que partielle, met sa santé en péril. Revenons à la respiration nocturne. Les arbres ne sont pas seuls à rejeter du dioxyde de carbone la nuit. Le feuillage, le bois mort, toutes sortes de végétaux en décomposition hébergent de minuscules animaux, des champignons et des bactéries qui ne cessent pas un instant de manger, de digérer puis de transformer en humus tout ce qui peut l'être. En hiver, la situation devient plus délicate encore : les arbres sont au repos et les réserves d'oxygène ne sont pas renouvelées, même durant la journée. À l'inverse, dans la terre la vie souterraine continue avec une ardeur telle que le sol ne gèle pas au-delà de 5 centimètres, même lorsqu'il fait un froid polaire. Les forêts en deviendraient-elles dangereuses l'hiver ? Non, car nous sommes sauvés par les grands mouvements d'air qui circulent autour de la Terre et dirigent l'air océanique vers les continents. Les algues innombrables qui vivent dans les eaux marines libèrent toute l'année, quelle que soit la saison, d'importantes quantités d'oxygène. Elles comblent si bien le déficit que nous pouvons respirer à pleins poumons sous des hêtres ou des épicéas couverts de neige.

Puisque nous parlons de la nuit : vous êtes-vous déjà demandé si les arbres avaient besoin de dormir ? Que se passerait-il si, pensant les aider, nous les éclairions la nuit pour qu'ils puissent synthétiser plus de sucre ? Ce ne serait pas une bonne idée. Nous savons aujourd'hui que les arbres ont le même besoin physiologique que nous de faire une pause. La privation de sommeil a sur eux comme sur nous des effets dévastateurs. Des observateurs signalaient dès 1981 dans la revue *Das Gartenamt** que la mort des chênes d'une ville

* *Das Gartenamt – Stadt+Grün*, mensuel allemand spécialisé dans la gestion et l'entretien des espaces verts urbains.

235

américaine était imputable à 4% à l'éclairage nocturne. Et les priver de leur long repos hivernal? Les amoureux de la nature sont nombreux à faire involontairement le test, nous l'avons vu dans le chapitre sur l'hiver. Ils rapportent chez eux un bébé-chêne ou hêtre et le mettent dans un pot sur le rebord intérieur d'une fenêtre. Dans le doux cocon du salon familial, l'hiver passe quasi inaperçu si bien que les jeunes arbres n'ont pas le temps de souffler et continuent de pousser. Un jour pourtant, le manque de sommeil réclame son tribut. L'arbuste en apparence plein de vitalité dépérit. Pourtant il y a tant d'hivers qui n'en sont plus, objecterez-vous, tant de régions, excepté en montagne, où les jours de gel intense se comptent, au mieux, sur les doigts d'une main. Certes, mais les feuillus perdent tout de même leurs feuilles et en développent de nouvelles au printemps, car ils réagissent aussi à la durée des phases lumineuses. Et pour les bébés-arbres en pot devant une fenêtre, cela ne fonctionne plus? De fait, cela fonctionnerait si le chauffage était coupé et que les longues soirées d'hiver n'étaient pas artificiellement éclairées. Mais qui serait prêt à renoncer aux confortables 21 °C et à la douce lumière électrique qui ressuscitent l'été dans nos intérieurs? Or aucun arbre forestier de nos contrées ne résiste à un climat perpétuellement estival.

Pourquoi la forêt est-elle verte ?

POURQUOI AVONS-NOUS BEAUCOUP PLUS DE DIFFICULTÉS à comprendre les plantes que les animaux ? Notre premier handicap tient à notre histoire, à l'évolution qui nous a très tôt coupés du monde végétal. Nos dispositions sensorielles en sont aujourd'hui si éloignées que nous devons faire appel à toute notre imagination pour commencer à entrapercevoir ce qui se passe chez les arbres. Notre perception des couleurs en est un bon exemple. J'aime l'association d'un ciel parfaitement bleu et du vert intense des cimes des arbres. C'est pour moi le paysage parfait, l'idéal pour se détendre. En va-t-il de même pour les arbres ? Peut-être, du moins dans une certaine mesure. Je présume que les hêtres, les épicéas et nombre d'espèces trouvent le ciel bleu et le soleil très agréable aussi. Mais pour elles le bleu azuréen est moins synonyme de romantisme ou d'apaisement que le signal de se mettre à table. Car un ciel sans nuages, c'est une intensité lumineuse maximale, donc des conditions optimales pour la photosynthèse. C'est le moment de donner le meilleur de ses capacités ; la couleur bleue est donc synonyme de travail intense. Le CO_2 et l'eau sont transformés en sucre, en cellulose et en divers glucides, puis stockés. Les arbres se rassasient. Le vert a une tout autre signification. Avant que nous en venions à la couleur la plus commune de la majorité des végétaux, une autre question se pose : pourquoi le monde est-il coloré ? La lumière solaire est blanche ; si elle est réfléchie, elle est également blanche. Nous devrions donc baigner dans un paysage visuellement d'une pureté clinique. Ce n'est pas le cas car chaque matériau absorbe ou transforme des parts de lumière en un autre rayonnement d'une façon différente. Seules les longueurs d'onde restantes sont réfléchies et perçues par nos yeux. La couleur des organismes vivants et des objets est donc déterminée par la couleur de la lumière réfléchie. Et chez les arbres, il s'agit du vert. Mais pourquoi n'est-ce pas le noir, pourquoi toute la lumière n'est-elle pas absorbée ? La lumière solaire étant transformée dans les feuilles à l'aide de la chlorophylle, si les arbres transformaient le rayonnement de façon optimale, il ne devrait presque rien rester et la forêt devrait paraître noire, même en plein jour. Mais la chlorophylle a un défaut. Elle présente ce que l'on appelle un «vide vert», c'est-à-dire qu'elle absorbe la majeure partie du spectre lumineux visible sauf la couleur verte qu'elle ne peut donc pas exploiter et doit renvoyer. Cette faille, qui rend visible ce que la photosynthèse n'utilise pas, explique que presque tous les végétaux paraissent verts. En fin de compte, la couleur verte est un résidu de lumière, un rebut que les arbres ne peuvent pas utiliser. Ce que nous trouvons beau est sans utilité pour la forêt. La nature nous séduit en réfléchissant un rebut ? J'ignore l'effet de la couleur verte sur les arbres, mais je suis certain que les hêtres et les épicéas, qui sont toujours avides de synthétiser de l'énergie, apprécient autant le ciel bleu que moi.

Le défaut d'absorption de la chlorophylle est à l'origine d'un autre phénomène : l'ombre verte. Les hêtres ne laissant filtrer au maximum que 3 % de lumière solaire, il devrait faire extrêmement sombre sous les frondaisons, même en plein jour. Pourtant, il n'en est rien, ce que chacun peut constater lors d'une sortie en forêt. En même temps, quasiment aucun autre végétal ne pousse à leurs pieds. Cela tient au fait que l'ombre varie en fonction de la couleur. Tandis que de nombreuses couleurs sont filtrées au niveau du houppier – le rouge et le bleu ne parviennent au sol qu'en infimes quantités –, ce n'est pas le cas du « rebut » vert. Les arbres ne pouvant l'utiliser, il franchit l'obstacle du feuillage et parvient au sol. La pénombre verte qui baigne les sous-bois, avec cet effet si apaisant sur les sens, trouve là son origine.

Nous avons, dans notre jardin, un hêtre rouge. C'est un arbre de grande taille, planté par l'un de mes prédécesseurs. Il ne me plaît pas beaucoup, sa couleur a pour moi quelque chose de maladif. Les arbres pourpres sont nombreux dans les parcs paysagers et les grands jardins où ils sont censés rompre la monotonie du vert. Je ne parviens pas à apprécier les hêtres pourpres, les érables rouges et les cornouillers sanguins. Ils devraient pourtant susciter chez moi un petit élan d'empathie, car cette couleur divergente de la norme s'avère un handicap. Le phénomène résulte d'un trouble du métabolisme. Les feuilles en formation présentent souvent une teinte rougeâtre, même chez les arbres sains et normaux, car le jeune tissu contient une sorte de crème solaire. Ce sont les anthocyanes, des pigments qui, en bloquant les rayons ultra-violets, protègent les petites feuilles du rayonnement solaire. Quand les feuilles atteignent leur maturité, les anthocyanes sont dégradées à l'aide d'une enzyme. Parmi les hêtres et les érables, cette enzyme est absente chez quelques individus qui diffèrent de la norme génétique. Ils ne peuvent pas éliminer ce pigment qui reste présent dans les feuilles durant toute la période de végétation. Ils diffusent donc beaucoup de lumière rouge et gaspillent une part importante de l'énergie lumineuse. Ils réalisent la photosynthèse avec le spectre des tons bleus, mais comparé à ce dont disposent leurs cousins verts, c'est bien peu. Des arbres pourpres ou rouges surgissent régulièrement dans la nature, mais comme ils poussent plus lentement que leurs voisins verts, ils ne parviennent pas à s'imposer et disparaissent de nouveau. Toutefois, l'homme étant toujours séduit par la rareté, les variantes rouges sont recherchées puis multipliées artificiellement pour créer des arbres d'ornement. En somme, le malheur des uns fait le bonheur des autres, mais si l'incidence que ces manipulations ont sur les arbres était connue, peut-être y renoncerions-nous.

Notre difficulté à comprendre les arbres a surtout pour origine leur extrême lenteur. Leur enfance et leur jeunesse sont dix fois plus longues que les nôtres et ils vivent au moins cinq fois plus longtemps que nous. Les mouvements volontaires, comme le déploiement des feuilles ou la pousse des rameaux, se déroulent sur des semaines ou des mois, ils donnent donc l'impression d'être immobiles, aussi peu animés que des pierres. Le murmure du vent dans les houppiers, le craquement des branches et des troncs qui se balancent doucement et rendent la forêt si vivante ne sont que des mouvements involontaires subis par les arbres. Il n'est guère étonnant que la plupart de nos contemporains les considèrent comme des objets. Pourtant, sous l'écorce, de nombreux processus sont beaucoup plus rapides. L'eau et les éléments nutritifs, le « sang de l'arbre », peuvent ainsi monter des racines vers les feuilles à la vitesse d'un centimètre par seconde[54].

Même des défenseurs de la nature et de nombreux forestiers tombent dans le piège de ce qu'ils voient en forêt. L'homme est un « animal visuel » qui se laisse fortement influencer par ce que ses yeux perçoivent. Les forêts primaires de nos latitudes paraissent de prime abord tristes et désertes. La richesse de la faune est essentiellement microcosmique et demeure cachée aux yeux des visiteurs de la forêt. Nous ne repérons que les espèces de grandes tailles comme les oiseaux ou les mammifères, et encore, car les hôtes des forêts sont aussi discrets que farouches. Les personnes auxquelles je fais visiter nos vieilles réserves de hêtres me demandent fréquemment pourquoi on y entend si peu d'oiseaux.

En revanche, les espèces vivant dans les espaces ouverts sont souvent tapageuses et elles se donnent moins de mal pour se dissimuler à nos regards. Si vous avez un jardin, sans doute avez-vous remarqué combien les mésanges, les merles ou les rouges-gorges s'habituent vite à la présence humaine et s'approchent jusqu'à quelques mètres. La plupart des papillons forestiers sont bruns et gris pour se fondre dans la couleur de l'écorce lorsqu'ils se posent sur un tronc. À l'opposé, les espèces des paysages ouverts font un tel assaut de couleurs, toutes plus chatoyantes les unes que les autres, qu'on ne peut manquer de les voir. Le comportement des plantes est similaire. Les espèces forestières sont habituellement petites et se ressemblent beaucoup. Les espèces de mousses, toutes minuscules, se comptent par centaines, de même que les espèces de lichens, les unes et les autres si nombreuses que je ne m'y retrouve plus moi-même. En comparaison, les plantes des prairies sont des charmeuses qui misent sur la couleur et le paraître. Comment ne pas être séduit par les immenses tiges couvertes de fleurs pourpres des digitales, les fleurs jaunes du sénéçon, le bleu céleste des myosotis ? De nombreux défenseurs de la nature s'enthousiasment lorsque des tempêtes ou des coupes rases dégagent de vastes espaces. Ils croient sincèrement que cela favorise la biodiversité, mais c'est méconnaître les effets dramatiques de ces perturbations de l'écosystème forestier. En contrepartie des quelques espèces de milieux ouverts qui se prélassent au soleil, des centaines d'espèces de la microfaune, auxquelles quasiment personne ne s'intéresse, disparaissent localement. Une étude scientifique de l'Ecological Society of Germany, Austria and Switzerland le souligne et conclut que si l'amplification de l'exploitation forestière induit un accroissement de la diversité végétale, il n'y a pas lieu de se réjouir, car c'est avant tout un indice du degré de déstabilisation de l'écosystème naturel[55].

Retour à la forêt primaire

EN CES TEMPS D'INCERTITUDES CLIMATIQUES et de bouleversements de notre environnement, la nostalgie d'une nature vierge grandit. Dans nos régions fortement urbanisées du centre de l'Europe, la forêt est perçue comme le dernier paysage intact où laisser son âme vagabonder. Pourtant il y a des siècles que les forêts primaires ont disparu sous les haches puis les charrues de nos ancêtres accablés par les famines. Les campagnes et les zones urbaines sont certes entrecoupées de vastes étendues boisées, mais il s'agit pour la plupart de plantations composées d'arbres d'une seule essence et d'un même âge que l'on ne peut guère qualifier de forêt. Le constat fait aujourd'hui consensus, même parmi nos gouvernants, au point que les partis politiques allemands ont convenu de ne plus du tout intervenir dans au moins 5 % des forêts afin qu'elles puissent devenir les forêts primaires de demain. Cela peut paraître faible et peu courageux comparé aux États des zones tropicales, dont nous sommes toujours prompts à critiquer l'absence de politique de préservation des forêts, mais c'est un début. Si l'Allemagne n'a jusqu'ici redonné leur liberté qu'à 2 % des forêts, cela représente tout de même plus de 200 000 hectares. Ces espaces permettent d'observer le libre jeu de la nature. Au contraire des sites naturels protégés, qui sont entretenus à grands frais, c'est la stricte non-intervention qui est ici préservée, en application du principe dit de «protection des processus». Mais comme la nature n'a que faire de nos attentes, les choses n'évoluent pas toujours comme nous le souhaiterions.

En règle générale, le processus de retour à une forêt primaire se déroule de façon d'autant plus radicale que la zone protégée est fortement déséquilibrée. Un champ au sol nu, auquel succéderait une pelouse tondue toutes les semaines, est ce qu'il y a de moins naturel et de plus éloigné d'une forêt primaire. Je découvre tous les jours des plantules de chênes, de hêtres ou de bouleaux dans l'herbe autour de notre maison forestière. Si nous ne fauchions pas régulièrement, il ne faudrait pas cinq ans à notre petit paradis pour être envahi de jeunes arbres de 2 mètres de haut.

Parmi les zones boisées, le processus de retour au naturel est particulièrement impressionnant dans les plantations d'épicéas et de pins. Ce sont souvent ces types de boisements qu'on inclut dans les parcs nationaux créés récemment, car même si elles possèdent une valeur écologique supérieure, il est plus difficile de s'entendre sur le choix d'une zone de forêts de feuillus. Mais peu importe, une forêt primaire s'accommode volontiers de démarrer dans une monoculture. Si l'homme s'abstient de toute intervention, il suffit de quelques années pour que les premiers grands changements apparaissent. Cela commence habituellement par la survenue d'insectes, de minuscules scolytes qui peuvent désormais se multiplier à loisir et se propager. Fragilisés par leurs conditions d'implantation – en rangs serrés et souvent dans des régions trop chaudes et trop sèches pour eux –, les conifères sont incapables de résister aux envahisseurs qui dévorent leur écorce et ils meurent en quelques semaines. L'invasion de scolytes se répand à la vitesse de l'éclair dans les forêts qui jusque-là étaient exploitées. Elle laisse derrière elle des paysages dévastés, dénués de vie apparente d'où émergent les troncs pâles des arbres morts. Un crève-cœur pour les scieries locales qui convoitent les troncs et prétextent un recul de la fréquentation touristique pour arriver à leurs fins. Il est certain que le visiteur non averti risque d'être rebuté s'il pénètre dans une forêt prétendument intacte et, au lieu de beaux arbres verts, découvre des collines entières d'arbres décharnés. Plus de 5 000 hectares de forêts d'épicéas sont morts depuis 1995 dans le seul parc national de la forêt bavaroise, ce qui correspond à environ un quart de sa superficie totale[56]. À les entendre, pour certains visiteurs, la vision de troncs morts serait plus pénible à supporter que des surfaces nues. La plupart des parcs nationaux cèdent aux critiques et vendent aux scieries les arbres qu'ils ont abattus et déblayés pour lutter contre les scolytes. C'est une erreur, car les épicéas et les pins morts favorisent le développement de jeunes feuillus. Leurs squelettes jusque-là desséchés emmagasinent de l'eau et contribuent ainsi à rafraîchir l'air brûlant du plein été. Quand ils tombent, l'enchevêtrement inextricable des troncs et des branches forme une barrière naturelle que les chevreuils et les cerfs ne peuvent pas franchir. Les petits hêtres, les sorbiers des oiseleurs et les chênes peuvent alors pousser en hauteur sans crainte d'être broutés. Au surplus, la décomposition du bois de conifère produit l'humus indispensable à la régénération du sol. Pourtant, à ce stade, il n'y a pas encore de forêt primaire en formation, car tous ces bébés-arbres grandissent sans parents. Personne n'est là pour freiner leur croissance, pour les protéger ou pour leur perfuser en urgence des solutions de sucres. Dans une zone protégée, la première génération naturelle d'arbres se développe un peu comme les enfants des rues. Les essences qui composent la forêt n'ont pas encore retrouvé leur équilibre naturel. Avant de dépérir, les conifères des anciennes plantations ont lâché beaucoup de graines, si bien que des épicéas, des pins et des douglas se mêlent encore aux hêtres, aux chênes et aux sapins blancs. De quoi susciter quelque impatience du côté de l'administration. Il est probable que l'abattage des conifères désormais tombés en disgrâce accélère un peu le processus de retour au naturel. Mais à quoi bon ? Ne savons-nous pas que la première génération grandit de toute façon trop vite et qu'elle ne peut donc pas atteindre un grand âge ? La communauté forestière ne se stabilisera et jouera pleinement son rôle que beaucoup plus tard. Les premiers descendants des espèces plantées ne vivront pas au-delà de cent ans. Ils vont dépasser les feuillus en hauteur et se dresseront seuls au-dessus des cimes, offerts à tous les vents qui les balayeront sans pitié. Les premières trouées qu'ils laisseront dans la canopée seront conquises par la seconde génération de feuillus qui pourra dès lors grandir dans l'ombre protectrice de ses parents. Même si ces parents ne vieillissent pas beaucoup, cela suffira à assurer un départ lent à souhait à leurs enfants. Quand ceux-ci auront atteint l'âge de la retraite, la forêt primaire se sera stabilisée dans un équilibre qui n'évoluera plus ou très peu.

Entre-temps, 500 ans se seront écoulés depuis la création du parc naturel. Si au lieu de boisements artificiels de conifères, c'était une grande zone de feuillus jusque-là modérément exploitée qui avait été placée sous protection, 200 ans auraient suffi au processus. Mais la tendance étant de placer sous protection intégrale des forêts très déséquilibrées, il faut prévoir un brin de temps supplémentaire (du point de vue des arbres) pour obtenir le résultat escompté et se préparer à une phase de transformation particulièrement rude durant les premières décennies.

L'aspect des forêts primaires européennes suscite beaucoup de fausses idées. Les néophytes sont nombreux à croire que le paysage serait envahi de broussailles, que le sous-bois serait dense et impénétrable, que les forêts ouvertes aujourd'hui à la promenade ou à la randonnée seraient impraticables. Les réserves forestières qui n'ont connu aucune intervention humaine depuis plus de cent ans prouvent le contraire. L'ombre épaisse bannit les plantes herbacées et les buissons ; au sol, la couleur brune des feuilles mortes domine. Les petits arbres poussent extrêmement lentement et très droit, leurs branches latérales sont courtes et grêles. Le plus impressionnant, ce sont les vieux arbres dont les fûts parfaits s'élèvent dans la pénombre comme les piliers d'une immense cathédrale.

Les forêts exploitées, donc régulièrement éclaircies, sont au contraire très lumineuses. Les herbes et les broussailles y prospèrent, les ronces forment des fourrés qui interdisent de s'écarter des chemins. Les houppiers des arbres abattus qui jonchent le sol ajoutent aux obstacles. Il émane de l'ensemble une impression d'agitation et de désordre.

À l'inverse, naturellement dégagé, le sous-bois des forêts primaires se laisse parcourir en tous sens. Les quelques gros troncs qui gisent ici et là au sol offrent des bancs improvisés appréciés des visiteurs. Mais ils sont rares, car peu d'arbres atteignent naturellement un très grand âge. Hormis ces chutes d'arbres morts, il se passe très peu de chose dans la forêt. Les changements visibles en une vie humaine sont minimes. Les zones protégées qui permettent aux forêts cultivées de devenir des forêts naturelles apaisent la nature et la rendent plus accessible.

Et la sécurité ? N'entendons-nous pas régulièrement parler de la dangerosité des vieux arbres ? De branches qui tombent, d'arbres qui s'abattent sur les chemins de randonnée, sur des cabanes ou des voitures ? Cela peut arriver, bien sûr. Mais les risques sont beaucoup plus élevés dans les forêts exploitées. Plus de 90 % des dommages causés par les tempêtes concernent des conifères issus de boisements artificiels instables que des rafales de 100 kilomètres à l'heure suffisent à abattre. Je n'ai pas connaissance d'un seul cas de forêt ancienne de feuillus, inexploitée depuis longtemps, qui aurait subi de tels dommages. N'est-ce pas une excellente raison de prôner le retour au naturel ? Laissons donc faire la nature !

Plaidoyer pour le respect des arbres

CES DERNIÈRES ANNÉES, L'HISTOIRE PARTAGÉE DE L'HOMME et de l'animal a pris un tournant positif. L'élevage intensif, l'expérimentation animale ainsi que d'autres formes d'exploitations abusives existent toujours, mais nous reconnaissons à nos compagnons animaux de plus en plus d'émotions, et également plus de droits. La loi de droit civil dite « de l'amélioration du statut juridique de l'animal », qui stipule que l'animal ne doit plus être assimilé à une chose, est entrée en vigueur en Allemagne en 1990*. Des consommateurs toujours plus nombreux renoncent à la consommation de viande ou privilégient les produits issus de formes d'élevage respectueuses du bien-être animal. Cette évolution de la société est très encourageante, car nous savons aujourd'hui que les animaux

---

* En France, en 1999, une nouvelle loi de protection animale a modifié le Code civil afin que les animaux, tout en demeurant des biens, ne soient plus assimilés à des choses. La loi du 16 février 2015 relative à la modernisation et à la simplification du droit et des procédures dans les domaines de la justice et des affaires intérieures a modifié de nouveau le Code civil en qualifiant les animaux d'êtres doués de sensibilité. Voir : http://agriculture.gouv.fr/bien-etre-animal-contexte-juridique-et-societal.

présentent en de multiples domaines la même sensibilité que nous. Cela vaut pour les mammifères, proches de nous, mais aussi pour les insectes, comme la mouche du vinaigre. Des chercheurs californiens ont en effet découvert que même ce minuscule animal rêvait. Je crains que l'homme ne soit pas encore prêt à éprouver de l'empathie pour les mouches, mais même s'il l'était, nous n'en serions pas plus proches d'un partage émotionnel avec la forêt pour autant. Il existe pour nous un obstacle intellectuel quasi insurmontable entre les mouches et les arbres. Ces grands végétaux n'ont pas de cerveau, ils ne peuvent se déplacer que très lentement, leurs préoccupations sont sans rapport avec les nôtres et leur quotidien se déroule dans un ralenti extrême. Comment s'étonner que les arbres soient traités comme des choses, même si personne n'ignore que ce sont des organismes vivants ? Quand une bûche craque et pétille dans la cheminée, c'est du cadavre d'un hêtre ou d'un chêne que les flammes s'emparent. Le papier du livre que vous avez entre les mains, chers lecteurs, provient du bois râpé de bouleaux ou d'épicéas abattus – donc tués – à cette seule fin. Vous trouvez ces propos excessifs ? Je ne pense pas qu'ils le soient. Si l'on songe à ce que les chapitres précédents nous ont appris, le rapport entre les arbres et leurs produits est identique à celui existant entre les animaux et leurs produits. Nous utilisons des êtres vivants qui sont tués pour satisfaire nos besoins, il est inutile d'enjoliver la réalité. Pour autant, est-ce blâmable ? Nous sommes nous aussi partie intégrante de la nature et ainsi constitués que la substance organique d'autres espèces vivantes est indispensable à notre survie. Nous partageons cette caractéristique avec tous les animaux. Mais nous pouvons nous interroger sur notre comportement. Nous devons veiller à ne pas puiser dans l'écosystème forestier au-delà du nécessaire et nous devons traiter les arbres comme nous traitons les animaux, en leur évitant des souffrances inutiles. L'exploitation du bois doit se faire dans le respect des besoins spécifiques des arbres. Cela signifie qu'ils doivent pouvoir satisfaire leurs besoins d'échange et de communication, qu'ils doivent pouvoir croître dans un véritable climat forestier, sur des sols intacts, et qu'ils doivent pouvoir transmettre leurs connaissances aux générations suivantes. Au moins une partie d'entre eux doit pouvoir vieillir dans la dignité, puis mourir de mort naturelle. La futaie jardinée* est à l'exploitation forestière ce que la culture biologique est à la production de denrées alimentaires. Cette méthode de gestion durable de la forêt mêle étroitement des arbres de tailles et d'âges différents, si bien que les enfants-arbres grandissent sous leur mère. Seuls quelques gros troncs sont abattus ici et là, en veillant à ne pas endommager le reste du peuplement, puis débardés en douceur, par des chevaux. Et afin que même les vieux arbres aient toutes leurs chances, 5% à 10% de la forêt sont placés sous protection. Le bois provenant de ces exploitations respectueuses des arbres peut être employé sans hésitations. Malheureusement, 95% des forêts exploitées de l'Europe tempérée sont encore des cultures monospécifiques qui utilisent de lourds engins de chantier. Il n'est pas rare que les non-professionnels perçoivent mieux que les forestiers la nécessité de changer de pratiques culturales. Ils interviennent de plus en plus souvent dans la gestion des forêts publiques et parviennent à imposer aux

---

* En sylviculture, les termes «jardinage» et «jardiner» désignent un mode d'exploitation de la forêt. La futaie jardinée est une pratique ancienne fondée sur des coupes légères et fréquentes. Respectueuse des processus naturels, elle assure la stabilité et la permanence de la forêt.

autorités décisionnaires des critères environnementaux très exigeants au niveau local. Dans le cas de la Suisse, c'est un pays tout entier qui se soucie du bien-être des végétaux. La Constitution fédérale édicte des dispositions concernant l'obligation de traiter les animaux, les plantes et tout organisme vivant dans le respect « de la dignité de la créature ». Couper des fleurs au bord des routes sans nécessité est répréhensible. Hors de Suisse, cette vision éthique a certes suscité quelques hochements de tête dubitatifs mais, pour ma part, j'approuve sans réserve cette brèche ouverte dans la frontière idéologique entre animaux et végétaux. Quand les capacités cognitives des végétaux seront connues, quand leur vie sensorielle et leurs besoins seront reconnus, notre façon de considérer les plantes évoluera. Les forêts ne sont pas des usines à produire du bois ou des stocks de matières premières et accessoirement l'habitat de milliers d'espèces, ainsi que la sylviculture moderne a tendance à le penser. Quand elles peuvent se développer naturellement, dans le respect de leurs besoins spécifiques, elles remplissent des fonctions que de nombreux règlements forestiers placent juridiquement au-dessus de la production de bois, notamment la protection (contre les risques naturels, les catastrophes, etc.) et la détente. Les échanges actuels entre associations de défense de l'environnement et exploitants forestiers, ainsi que des premiers résultats encourageants[57], sont de bon augure pour l'avenir. Nous pouvons espérer que la vie secrète des forêts sera préservée et que les générations futures pourront demain encore parcourir les bois avec le même étonnement émerveillé. Car c'est dans la profusion de vie que réside la spécificité de cet écosystème, dans les dizaines de milliers d'espèces liées et dépendantes les unes des autres. Cependant l'importance de la forêt dépasse son seul cadre ; une petite histoire qui nous vient du Japon nous donne un aperçu de ses interactions avec les autres écosystèmes. Katsuhiko Matsunaga, un chercheur en chimie marine attaché à l'université de Hokkaido, a découvert que des acides provenant des feuilles tombées étaient transportés par les eaux des ruisseaux et des fleuves jusqu'à la mer où ils favorisaient le développement du plancton, le premier maillon de la chaîne alimentaire. La forêt permettrait d'avoir plus de poissons ? La plantation d'arbres à proximité des côtes, encouragée par Katsuhiko Matsunaga, a effectivement été suivie d'une augmentation des rendements des pêcheries et des élevages d'huîtres[58]. Mais notre intérêt pour les arbres ne doit pas reposer sur les seuls bénéfices matériels que nous pourrions en tirer. Il importe aussi d'en préserver le charme et les énigmes. Chaque jour, des drames et d'émouvantes histoires d'amour se déroulent sous le couvert des houppiers, dernière parcelle de nature, à nos portes, où des aventures restent à vivre et des mystères à découvrir. Et qui sait : un jour peut-être le langage des arbres sera déchiffré et de nouvelles histoires extraordinaires s'offriront à nous. D'ici là, lors d'une prochaine promenade en forêt, laissez votre imagination vagabonder. Il arrive souvent que la réalité n'en soit pas si éloignée !

Remerciements

Pouvoir écrire ainsi sur les arbres est un cadeau, car au fil de mes recherches, de mes réflexions, de mes intuitions et de mes observations, j'apprends chaque jour quelque chose de nouveau. Ce cadeau, je le dois à mon épouse Miriam qui m'a écouté avec patience conter l'avancement de mes travaux, qui a relu mon manuscrit et suggéré nombre d'améliorations. Sans la compréhension de mon employeur, la commune de Hümmel, je n'aurais pas pu protéger la magnifique forêt ancienne appartenant à mon district que je parcours avec tant de plaisir et qui m'inspire. Merci aux éditions Ludwig Verlag de m'avoir offert la possibilité de livrer le fruit de mes pensées à un vaste lectorat. Enfin, merci à vous, chères lectrices et chers lecteurs d'avoir éclairci avec moi quelques-uns des secrets de ces arbres, merveilleux arbres qu'il faut connaître pour savoir les protéger.

Notes

1. Maffei, Massimo *in* Anhäuser, Marcus, « Der stumme Schrei der Limabohne », *MaxPlanckForschung*, mars 2007, p. 64-65.

2. Anhäuser, Marcus, « Der stumme Schrei der Limabohne », *op. cit.*, p. 64-65.

3. *Ibid.*

4. http://www.deutschlandradiokultur.de/die-intelligenz-der-pflanzen.1067.de.html?dram:article_id=175633, consulté le 13 décembre 2014.

5. https://gluckspilze.com/faq, consulté le 14 octobre 2014.

6. http://www.deutschlandradiokultur.de/die-intelligenz-der-pflanzen.1067.de.html?dram:article_id=175633, consulte le 13 décembre 2014.

7. Gagliano, Monica, *et al.*, « Towards understanding plant bioacoustics », *Trends in plants science*, vol. 954, p. 1-3.

8. *Neue Studie zu Honigbienen und Weidenkätzchen*, université de Bayreuth, communiqué de presse n° 98, du 23 mai 2014.

9. http://www.rponline.de/nrw/staedte/duesseldorf/pappelsamen-reizen-duesseldorf-aid-1.1134653, consulté le 24 décembre 2014.

10. « LebenskünstlerBaum », script de la série TV *Quarks & Co*, WDR, p. 13, mai 2004.

11. http://www.ds.mpg.de/139253/05, consulté le 9 décembre 2014.

12. http://www.news.uwa.edu.au/201401156399/research/move-over-elephants-mimosas-have-memories-too, consulté le 8 octobre 2014.

13. http://www.zeit.de/2014/24/pflanzenkommuni-kation-bioakustik

14. http://www.wsl.ch/medien/presse/pm_040924_DE, consulté le 18 décembre 2014.

15. http://www.planet-wissen.de/natur_technik/pilze/gift_und_ speisepilze/wissensfrage_groesste_lebewesen.jsp, consulté le 18 décembre 2014.

16. Nehls, Uwe, *Sugar Uptake and Channeling into Trehalose Metabolism in Poplar Ectomycorrhizae*, dissertation du 27 avril 2011, université de Tübingen.

17. http://www.scinexx.de/wissen-aktuell-7702-2008-01-23.html, consulté le 13 octobre 2014.

18. http://www.wissenschaft.de/archiv/-/journal_content/56/ 12054/1212884/Pilz-t%C3%B6tet-Kleintiere-um-Baum-zu-bewirten/, consulté le 17 février 2015.

19. http://www.chemgapedia.de/vsengine/vlu/vsc/de/ch/8/bc/vlu/ transport/wassertransp.vlu/Page/vsc/de/ch/8/bc/transport/wassertransp3. vscml.html, consulté le 9 décembre 2014.

20. Steppe, K., *et al.*, « Low-decibel ultrasonic acoustic emissions are temperature-induced and probably have no biotic origin », *New Phytologist*, n° 183, 2009, p. 928-931.

21. http://www.br-online.de/kinder/fragen-verstehen/wissen/2005/ 01193/, consulté le 18 mars 2015.

22. Lindo, Zoë et Whiteley, Jonathan A., « Old trees contribute bio-available nitrogen through canopy bryophytes », *Plant and Soil*, mai 2011, p. 141-148.

23. Walentowski, Helge, « Weltältester Baum in Schweden entdeckt », *LWF aktuell*, 65/2008, p. 56.

24. Hollricher, Karin, « Dumm wie Bohnenstroh ? », *Laborjournal*, octobre 2005, p. 22-26.

25. http://www.spektrum.de/news/aufbruch-in-den-ozean/1025043, consulté le 9 décembre 2014.

26. http://www.desertifikation.de/home, consulté le 30 novembre 2014.

27. Exposé oral de la biologiste Klara Krämer, université technique de Rhénanie-Westphalie, 26 novembre 2014.

28. Fichtner, Andreas, *et al.*, « Effects of anthropogenic disturbances on soil microbial communities in oak forests persist for more than 100 years », *Soil Biology and Biochemistry*, vol. 70, mars 2014, p. 79-87, Kiel.

29. Mühlbauer, Markus Johann, Klimageschichte. Seminarbeitrag Seminar, Wetter und Klima WS, 2012/13, p. 10, université de Regensburg.

30. Mihatsch, Annette, *Neue Studie: Große Bäume sind die besten Kohlendioxid-Speicher*, communiqué de presse 008/2014, université de Leipzig, 16 janvier 2014.

31. Zimmermann, Lothar, *et al.*, «Wasserverbrauch von Wäldern», *LWF aktuell*, 66/2008, p. 16.

32. Makarieva, Anastassia M., Gorshkov, Victor G., *Biotic pump of atmospheric moisture as driver of the hydrological cycle on land*. *Hydrology and Earth System Sciences Discussions*, Copernicus Publications, 11 (2), 2007, p. 1013-1033.

33. Adam, David, «Chemical released by trees can help cool planet, scientists find», *The Guardian*, 31 octobre 2008, http://www.theguardian.com/environment/2008/oct/31/forests-climatechange, consulté le 30 décembre 2014.

34. http://www.deutschlandfunk.de/pilze-heimliche-helfershelfer-des-borkenkaefers.676.de.html?dram:article_id=298258, consulté le 27 décembre 2014.

35. Möller, Georg, «Großhöhlen als Zentren der Biodiversität», 2006, http://biotopholz.de/media/download_gallery/Grosshoehlen_-_Biodiversitaet.pdf, consulté le 27 décembre 2014.

36. Gossner, Martin, *et al.*, «Wie viele Arten leben auf der ältesten Tanne des Bayerischen Walds», *AFZ-Der Wald*, n° 4, 2009, p. 164-165.

37. Möller, Georg, «Großhöhlen als Zentren der Biodiversität», *ibid.*

38. http://www.totholz.ch, consulté le 12 décembre 2014.

39. http://www.wetterauer-zeitung.de/Home/Stadt/Uebersicht/Artikel,-Der-Wind-traegt-am-Laubfall-keine-Schuld-_arid,64488_regid,3_puid,1_pageid,113.html

40. Claessens, Hugues, «L'Aulne glutineux (*Alnus glutinosa*): une essence forestière oubliée», *Silva belgica* 97, 1990, p. 25-33.

41. Laube, Julia, *et al.*, «Chilling outweighs photoperiod in preventing precocious spring development», *Global Change Biology*, http://onlinelibrary.wiley.com/doi/10.1111/gcb.12360/abstract, consulté le 30 octobre 2013.

42. http://www.nationalgeographic.de/aktuelles/woher-wissen-die-pflanzen-wann-es-fruehling-wird, consulté le 24 novembre 2014.

43. Richter, Christoph, «Phytonzidforschung – ein Beitrag zur Ressourcenfrage», *Hercynia N. F.*, 24 (1), Leipzig, 1987, p. 95-106.

44. Cherubini, Paolo, *et al.*, «Tree-life history prior to death: two fungal root pathogens affect tree-ring growth differently», *Journal of Ecology* 90, 2002, p. 839-850.

45. Stutzel, Thomas, *et al.*, *Wurzeleinwuchs in Abwasserleitungen und Kanäle*, juillet 2004, étude de l'université de la Ruhr, à Bochum, Gelsenkirchen, p. 31-35.

46. Sobczyk, Thomas, «Der Eichenprozessionsspinner in Deutschland», *BfN-Skripten* 365, Bonn-Bad Godesberg, mai 2014.

47. Ebeling, Sandra, *et al.*, «From a Traditional Medicinal Plant to a Rational Drug: Understanding the Clinically Proven Wound Healing Efficacy of Birch Bark Extract», *PLoS One* 9 (1), 22 janvier 2014.

48. USDA Forest Service: http://www.fs.usda.gov/detail/fishlake/home/?cid=STELPRDB5393641, consulté le 23 décembre 2014.

49. Meister, G., *Die Tanne*, publié par Schutzgemeinschaft Deutscher Wald (SDW), Bonn, p. 2, http://www.sdw.de/cms/upload/pdf/Tanne_Faltblatt.pdf

50. Finkeldey, Reiner et Hattemer, Hans H., «Genetische Variation in Wäldern – wo stehen wir?», *Forstarchiv* 81, M. & H. Schaper GmbH, juillet 2010, p. 123-128.

51 Harmuth, Frank, *et al.*, *Der sächsische Wald im Dienst der Allgemeinheit*, Staatsbetrieb Sachsenforst, 2003, p. 33.

52. Haller, Albert, *Lebenswichtig aber unerkannt*, Verlag Boden und Gesundheit, Langenburg, 1980.

53. Lee, Jee-Yon, et Lee, Duk-Chul, «Cardiac and pulmonary benefits of forest walking versus city walking in elderly women: a randomised, controlled, open-label trial», *European Journal of Integrative Medicine* 6, 2014, p. 5-11.

54. http://www.wilhelmshaven.de/botanischergarten/infoblaetter/wassertransport.pdf, consulté le 21 novembre 2014.

55. Boch, Steffen, *et al.*, «High plant species richness indicates management-related disturbances rather than the conservation status of forests», *Basic and Applied Ecology* 14, 2013, p. 496-505.

56. http://www.br.de/themen/wissen/nationalpark-bayerischer-wald104. html, consulté le 9 novembre 2014.

NOTES

57. http://www.waldfreunde-koenigsdorf.de, consulté le 7 décembre 2014.

58. Robbins, Jim, « Why trees matter », *The New York Times*, 11 avril 2012, http://www.nytimes.com/2012/04/12/opinion/why-trees-matter.html, consulté le 30 décembre 2014.

L'EXEMPLAIRE QUE VOUS TENEZ ENTRE LES MAINS
A ÉTÉ RENDU POSSIBLE GRÂCE AU TRAVAIL DE TOUTE UNE ÉQUIPE.

MISE EN PAGE : Soft Office
COUVERTURE : Sara Deux
PHOTOGRAVURE : Les Artisans du Regard
RELECTURE SCIENTIFIQUE : Laurène Lévy
RÉVISION : Dominique Martel, Marie Sanson et Nathalie Mahéo
FABRICATION : Marie Baird-Smith

COMMERCIAL : Pierre Bottura
COMMUNICATION : Isabelle Mazzaschi
et Jérôme Lambert, avec Adèle Hybre
RELATIONS LIBRAIRES : Jean-Baptiste Noailhat

RUE JACOB DIFFUSION : Élise Lacaze (direction),
Katia Berry (grand Sud-Est), François-Marie Bironneau (Nord et Est),
Charlotte Knibiehly (Paris et région parisienne),
Christelle Guilleminot (grand Sud-Ouest), Laure Sagot (grand Ouest)
et Diane Maretheu (coordination), avec Christine Lagarde (Pro Livre),
Béatrice Cousin et Laurence Demurger (équipe Enseignes),
Fabienne Audinet et Benoît Lemaire (LDS), Bernadette Gildemyn
et Richard Van Overbroeck (Belgique), Nathalie Laroche
et Alodie Auderset (Suisse), Kamel Yahia et Kimly Ear (Grand Export).

DISTRIBUTION : Hachette

DROITS FRANCE ET JURIDIQUE : Geoffroy Fauchier-Magnan
DROITS ÉTRANGERS : Sophie Langlais

ENVOIS AUX JOURNALISTES ET LIBRAIRES : Patrick Darchy
LIBRAIRIE DU 27 RUE JACOB : Laurence Zarra
ANIMATION DU 27 RUE JACOB : Perinne Daubas

COMPTABILITÉ ET DROITS D'AUTEUR : Christelle Lemonnier
avec Camille Breynaert
SERVICES GÉNÉRAUX : Isadora Monteiro Dos Reis

Certifié PEFC

Ce produit est issu
de forêts gérées
durablement et de
sources
contrôlées.

10-31-3068   pefc-france.org

Achevé d'imprimer en France
par l'imprimerie CPI Bussière à Saint-Amand-Montrond (Cher)
en novembre 2017 sur du Lac 2000 PEFC
et de la carte Invercote PEFC pour la couverture.

ISBN : 978-2-35204-593-9
N° d'impression : 2033769
Dépôt légal : mars 2017